이번 역은 열차와 승강장 사이가 넓습니다

# 이번 역은 열차와 승강장 사이가 넓습니다

**발 행** | 2024년 01월 23일
**저 자** | 김은우
**펴낸이** | 한건희
**펴낸곳** | 주식회사 부크크
**출판사등록** | 2014.07.15.(제2014-16호)
**주 소** | 서울특별시 금천구 가산디지털1로 119 SK트윈타워 A동 305호
**전 화** | 1670-8316
**이메일** | info@bookk.co.kr

ISBN | 979-11-410-6811-0

www.bookk.co.kr

# 이번 역은 열차와 승강장 사이가 넓습니다

김은우 지음

# Chapters

## 머리말

이 책은 한때 작가를 꿈꿨던 어린 시절의 나 자신에게 주는 선물입니다

이러한 글을 쓸 수 있는 재능을 주신 부모님
힘든 시절을 곁에서 지켜준 친구들
군대에서 이 글을 연재할 때 응원해주신 전우들

그리고 모든 순간을 견디며 여기까지 온 지금의 나 자신에게

감사합니다

# 1. 열차가 들어오고 있습니다

"이번 역은 시청, 시청역입니다."

무미건조한 목소리, 어제와 같은 내일도 같을. 높낮이도 없이 감정도 없이 단순히 정보만을 전달하는 한결같은 목소리에 사람들이 반응한다. 지하철에서 사람들을 관찰하는 일은 꽤나 재미가 있다. 어디로 가는 건지 무엇을 위해 가는 건지 상상하는 건, 지루한 일상에 조금은 변화를 주니까. 양손으로 부모님의 손을 잡은 어린아이가 내릴 준비를 한다. 날씨가 좋으니 산책을 나온 것이겠지. 이곳에 내려 궁을 둘러보며 아빠에게서 역사 이야기를 들을지도 모르겠다. 그 옆으로 더운 날씨에도 팔짱을 낀 채 딱 붙어 있는 연인. 어젯밤 저 둘은 오늘 어떤 식당을 갈지 어떤 걸 보고 즐거운 시간을 보낼지 설레는 마음으로 밤을 지새웠을 것이다. 주말임에도 불구하고 정장 차림에 서류 가방을 끌어안고 잠든 이 남자는 오전 근무를 끝내고 집으로 돌아가는 길일 것이다. 안전을 위해 굳게 닫힌 철문의 창문 너머로 승강장이 눈에 들어온다. 처음에는 빠른 속도로 스쳐 지나가 모든 것이 흐리게 보였지만 속도를 늦추고 바퀴가 멈추며 쇠와 쇠가 서로 맞닿아 긁히는 소리가 커져 갈수록 이 전철을 타기 위해 기다리는 사람들의 얼굴이 눈에 들어온다.

그곳의 상황도 이 안의 상황과 크게 다르지 않다. 누군가에게는 설렘, 누군가에게는 피로, 우리에게 지하철이란 그런 존재다. 문이 열린다. 성격 급한 누군가에게는 느리게, 마주보고 들어오는 사람들과 눈이 마주치지 않게 아래를 보며 승강장으로 건너간다. 이곳에 도착한 사람들, 이곳을 떠나는 사람들, 같은 하루 속 겹치는 순간을 만났지만, 우리는 없다. 모두 각자의 목적지를 향해 걸어 나가기 바쁘니까. 문이 닫힌다는 안내음성이 들리며 다시 전철은 굉음을 내며 이곳을 떠나간다. 사람들이 많은 걸 보니 조금 어지럽기까지 하다. 역시 환승역이라 복잡한 건가. 급할 건 없으니 잠시 벤치에 앉아 천장을 올려다본다. 전광판에서 쉴 틈 없이 나오는 광고, 틈틈이 나오는 지하철 배차 정보. 3분 정도 그걸 바라보고 있으니 그 많던 인파가 썰물처럼 사라졌다. 이제 좀 움직일 만하겠다. 심호흡을 하고 옷을 털며 일어난다. 이렇게 긴장을 해서야 원. 계단을 오르는 발걸음은 무겁지만, 그걸 올려다보는 눈은 천국의 계단을 보는 것 같다. 몇 안 되는 사람들을 피해 계단을 마저 올라 목적지를 향해 걸어간다.

붉은 벽돌로 지어진 벽들이 나를 향해 다가오는 것처럼 느껴진다. 몇 번이나 오고 간 길인데 오늘따라 더 힘들다. 잠시 정신이 팔리는 바람에 마주오던 사람과 어깨를 부딪쳤다. 반사적으로 사과를 했지만 나와 부딪친 사람은 기분이 않아 보였다. 별 말 없이 그냥 지나가긴 했지만, 괜스레 기분이 나빠진다. 통로가 조금씩 좁아지다가 점점 고지가 가까워온다. 등산하는 것도 이렇게 힘들진 않았는데. 문손잡이를 잡으니 운동한 것처럼 심장이 격하게 뛴다. 차가운 손잡이를 쥐고 있는데도 손에 땀이 나서 미끄럽다. 다시 한 번 숨을 깊게 쉬고 천천히 뱉어 낸다. 들어가자. 문을 열자 언제나 그렇듯 검은 물결 머리의 그녀가 앉아 있다. 서류 작업을 하는 중이었는지 시선이 책상을 향해 있다가 문이 닫히는 소리에 고개를 들고 나를 본다. 인사를 할 때 자연스럽게 지어지는 눈웃음. 나도 반사적으로 허리를 숙이고 인사를 한다.

"안녕하세요? 오늘은 뭘 찾으러 오셨나요?"

여러 번 찾아오다 보니 이제 나를 알아보는 것 같다. 아직 이름도 나이도 어디에 사는지도 아무것도 모르지만 나의 얼굴을 기억해 준다는 것부터 나에겐 커다란 발전이었다. 그 탓에 긴장감이 두 배가 되어 말하는 것 까지 떨린다.

"어 그, 그, 이번에 검은 가방 하나 들어오지 않았나요?"
"검은 가방이 많아서요, 구체적으로 어떤 가방인지 알려주실 수 있나요?"
"일단 그 배낭이고요, 태극기 붙어 있는 군용 배낭....... 인데....... 요......."
"아! 어떤 건지 알 것 같아요. 잠시만 기다려주세요."

박수를 치며 자리에서 일어나는 모습이 어린아이 같아서 귀여웠다. 참 순수한 사람이구나. 안으로 들어가는 뒷모습을 잠시 바라보다가 혼자서 망상에 빠져본다. 퇴근하는 그녀를 기다렸다가 함께 돌아가는 소박한 상상을 해보지만 망상을 길게 할 틈도 없이 내 잃어버렸던 가방을 들고 그녀가 돌아온다.

"이거 맞나요?"

"네 맞네요. 감사합니다!"

"다음부터는 잃어버리지 마세요. 요즘 자주 오시는 것 같던데, 찾아서 다행이지 잃어버리시면 새로 사셔야 하잖아요."

"네네, 그래야죠!"

"그럼 조심히 가세요."

처음 들어올 때와 똑같이 정중한 그녀의 인사가 나를 밖으로 밀어낸다. 손 내밀면 닿을 거리에서 대화를 나누지만 우리는 결국 철저한 타인이다. 잃어버린 물건을 찾으러 오는 사람과 그것을 찾아 주는 사람. 이 가방이 아니면 만날 이유도 기회도 없는 그런 타인이다. 아무것도 들지 않은 가방이 무겁게 느껴진다. 이곳에 들어올 때의 설렘은 다시 현실 뒤로 숨어 버린다. 나에게 미소를 보내고 다시 일에 집중하는 그녀에게 정중히 인사를 하고 가방을 둘러 멘 뒤 돌아 나온다. 큰 발전을 이뤘다고 생각했는데 결국은 제자리였다. 오늘 날씨가 좋던데 밖을 좀 돌아 다녀 볼까. 아직 집으로 돌아가기엔 아쉽다. 빈 가방에서 자꾸만 느껴지는 무게감을 어딘가에 털어 놓고 가고 싶어졌다. 출구 계단을 올라가는데 벌써부터 눈이 부시다. 팔을 들어 어느 정도 햇빛을 가려내고 나니 이 근방을 정신없이 지나는 차들의 소리가 귀에 들어온다. 차가 많이 막히는지 화가 난 경적 소리도 들리고, 그 안에서 욕을 하고 있을 사람들의 모습도 보이는 것 같다.

밖으로 나오니 역 안 보다 사람이 많다. 역시 날씨 좋은 주말은 많은 사람들을 길거리로 나오게 만든다. 평일에 쌓여 있던 스트레스들을 주말에 풀고 싶을 테니까. 평일과 주말의 구분이 없는 나 같은 사람에게는 와 닿지 않지만, 아마도 그럴 거라고 주워들은 것들을 기반으로 상상한다. 그냥 지금은 좋은 날씨와 여유를 즐기자. 행복을 즐기는 사람들 사이로 녹아든다. 역시 관광지라 그런지 외국인들도 많이 보인다. 그런데 이 근처에 갈 곳이 많다고 듣기만 했지 막상 나와 보는 것은 처음이라 어디로 가야할지 모르겠다. 길 잃은 강아지처럼 얼굴을 이리저리 들이밀어 보지만 여전히 뭐가 좋은지 알 수가 없다. 그렇게 한참을 헤매다가 관광지도를 발견하고 유심히 들여다본다.

"이걸 봐도 뭐가 뭔지 모르겠네....... 어? 전망대?"

근처에 전망대가 있다니, 한 번 올라가 봐야겠다. 다시 길로 들어서니 사방이 사람이다. 걸으면서 대화 하느라 그리고 서로의 사진을 찍어 주느라 분주해 보인다. 각자하는 행동과 걷는 방향은 다르지만 행복해 보인다는 공통점은 있었다. 얼굴 한 가득 미소를 머금고 따스한 햇살아래 새롭게 피어나는 꽃처럼 환하게 빛나고 있었다. 나도 괜스레 따라 웃어 본다. 기분이 조금은 나아진다.

"저기 죄송한데요."
"네?"

누군가 갑자기 말을 걸어 와서 놀랐는데 옆을 보니 나와 나이가 비슷해 보이는 남자가 핸드폰을 들고 내 옆에 서 있다. 그 순간에 이미 어느 정도 눈치를 챈다.

"사진 하나만 찍어 주실 수 있나요?"
"네 얼마든지요."

그는 자기 뒤에 서 있던 여자에게 손짓을 해 자신 옆으로 불러 함께 벤치에 앉는다. 자연스레 어깨를 감싸고 마주보며 웃는 둘. 사이가 참 좋구나. 부러운 마음을 숨기며 카메라를 두 사람에게 향한다. 환한 미소의 두 사람이 액정에 담기고 내가 셔터를 누르니 두 사람만의 추억이 여기에 저장 된다. 더 잘 나온 사진을 고를 수 있도록 두 장 더 찍어 준다. 남자가 먼저 의자에서 일어서며 감사 인사를 한다. 나는 미소 지으며 핸드폰을 돌려준다. 두 사람은 다시 손을 잡고 멀어져 간다. 나는 언제 저런 연애를 해 볼 수 있을까? 인파 사이로 사라지는 두 사람을 잠시 바라보다가 다시 목적지를 향해 이동한다. 산책로에서 벗어나 전망대가 있는 건물로 들어가니 줄이 상당히 길어서 그냥 돌아갈까 생각도 했지만, 손목시계가 아직 오후 3시를 가리키는 것을 보고 줄의 맨 끝을 향했다. 아직 집에 돌아가기엔 너무 이르다. 어차피 나에게 있는 거라곤 시간뿐이니까. 깔끔하게 잘 정리된 로비에 경비를 서시는 분은 밀려드는 사람들 때문에 피곤하신지 길게 하품을 하신다. 목에 카드를 멘 사람들은 이곳에서 일하는 분들이시겠지? 지금의 나는 토요일에도 저렇게 일하는 사람들이 부럽기만 하다. 내가 여기에 줄을 서는 것이 아니라 저 사람들과 함께 커피를 들고 남은 업무를 처리하러 돌아가는 길이라면 더 행복할 텐데. 30분 정도 기다리니 내 차례가 되어 지하철 게이트 같은 게이트를 지나 승강기를 기다린다. 전망대가 13층에 있는 걸 보니 경치 하나는 확실히 좋겠지? 조금은 기대가 되기 시작했다.

13층에 도착해보니 로비와 다르게 복도가 좁다. 게다가 구경을 마치고 내려가려는 사람들과 길이 엉켜 움직이기도 힘들다. 역시 괜히 올라 온 건가........ 저쪽에 창문이 있는 걸 보니 저기가 전망대인가 보다. 알고 보니 전망대 겸 카페로 운영하는 곳이었기에 커피 한 잔을 주문한다. 비싼 가격은 아니지만 500원이라도 아끼기 위해 가장 저렴한 아메리카노로 주문했다. 창가 자리에는 사람들이 가득 찼는데 바깥 구경이나 제대로 할 수 있을지 걱정이다. 커피 머신에서 원두 가는 소리가 생각보다 크다. 거기에 사람들의 수다 소리가 더해지니 밖으로 잘 나오지 않는 나는 이곳의 분위기에 적응하기 쉽지 않다. 하지만 커피가 내려지기 시작하면서 나는 향은 향긋해서 좋았다. 얼마 만에 맡아 보는 커피 향인지. 내가 주문한 커피를 받아 창가로 이동하니 운 좋게 한 사람이 자리에서 일어나 잽싸게 그 자리에 앉았다. 이렇게 정신이 없는데 선 채로 마시고 싶지는 않다. 쟁반을 테이블에 내려놓고 눈을 드니 눈이 시릴 만큼 푸른 하늘이 펼쳐진다. 서울에서 이렇게 맑은 하늘 보기가 쉽지 않은데. 오늘은 참 운이 좋은 날이다. 그리고 그 하늘에서 시선을 내리자 덕수궁의 전경이 눈에 들어온다. 학교에서 친구들하고 몇 번 가보긴 했는데, 위에서 내려다보면 이런 느낌이

구나. 그 안에 들어갔을 때는 웅장하게 느껴졌던 건물들이 여기선 모형 건물을 보는 것처럼 작게 느껴진다. 그리고 그 안에서 움직이는 사람들의 모습까지 모든 것이 새롭다. 여기에 커피 한 모금을 마시니 가방의 무게가 가벼워진다. 기분이 좋아져 다시 또 꿈을 꾼다. 좀 전에 만났던 연인처럼 나도 분실물 센터의 그녀와 함께 이런 곳에 올 수 있다면 얼마나 좋을까. 다른 사람들처럼 손도 잡고 함께 웃으며 이렇게 좋은 경치를 함께 볼 수 있다면 더할 나위 없이 좋을 텐데, 하지만 지나친 욕심이라는 걸 알기에 고개를 가로 젓는다.

아름다운 광경에 넋이 나간 건지, 아니면 오랜만에 느껴 보는 작은 행복에 취한 건지, 나도 모르는 틈에 2시간이나 지나갔다. 약속이 있다던 가, 급한 일이 있는 건 아니지만, 지금쯤 집으로 돌아가면 저녁식사 시간이 될 거니까. 마지막으로 통유리 너머의 풍경 사진을 남기고 일어선다. 만족스런 일탈이었다. 역 입구에 도착해 내려가려는데 친구에게서 전화가 왔다.

"여보세요?"
"여보세요? 지호야 뭐 하냐?"
"그냥 여기 덕수궁 쪽에 잠깐 돌아다니는 중."
"아 진짜? 나 마침 근처인데 안 바쁘면 같이 저녁이라도 먹을래?"
"그래 오랜만에 밥 한 번 먹자. 어디로 갈까?"
"이 근처에 괜찮은 밥 집 아니까 톡으로 지도 보내줄게 거기서 만나자. 전해 줄 것도 있고 마침 잘 됐네."

"어 그래. 거기서 보자."

 전화를 끊고 한숨부터 쉰다. 전해 줄 것이 있다는 친구의 말이 신경 쓰여서이다. 이제 서른이 가까워지니 아직까지는 조금 이르다지만 결혼을 하는 친구들이 하나 둘씩 나오기 생기기 했다. 오랜만에 연락이 온 친구, 그리고 전해줄게 있다는 말, 이쯤 되면 거의 기정사실이다. 성난 듯 울리는 경적 소리가 나를 대신해서 소리 질러준다. 친구가 보내준 지도를 따라 도착한 곳은 생각보다 평범한 식당이었다. 안에서 기다리고 있다는 문자에 일단 들어가긴 했는데, 워낙 오랜만에 보는 사이라 하마터면 못 알아 볼 뻔 했는데 그쪽에서 먼저 인사를 건네주었다. 나도 최대한 어색함을 숨기려 억지로 웃으며 악수를 요청했다. 친구는 반가움을 표하며 나와 악수하고 등을 다독여 주었다. 하지만 이 순간만큼은 이 과한 행동이 부담스럽기만 할 뿐이었다.

"앉아, 오는데 오래 걸리진 않았어?"
"걸어 왔는데도 금방 오더라. 잘 지냈지 몇 년 만이냐 이게."
"그러게, 졸업하고 처음이니까, 3년 만인가?"
"시간 참 빠르네."
"나이 먹는 거 순식간이더라, 그때까지만 해도 영원히 20대일 줄 알았는데, 우리도 이제 서른이 코앞이야."
"하하....... 순식간이네 진짜. 요즘 별 일은 없고?"
"아 그래, 이거 주려고 연락했는데 마침 근처에 있다고 해서 직접 주려고 만나자고 했지."

친구는 나에게 하얀 편지봉투 하나를 건넸다. 열어보지 않아도 안에 뭐가 들었는지는 알 수 있다. 나는 그걸 열지 않고 일단은 내 쪽 테이블 한 구석에 두고 축하인사부터 했다. 싱글벙글한 친구의 표정을 보니 내용물이 더더욱 확실해진다.

"축하한다. 너도 가는 구나 이제."
"그래, 나도 유부남이다."
"그럼 너 학교 다닐 때 그 여자 친구랑 하는 거야?"
"에이 요즘 그렇게 오래 만나서 결혼하는 사람들이 얼마나 된다고, 만난 지 1년 정도 됐는데, 부모님이 하도 재촉하셔서 생각보다 빨리하게 됐어."
"그래도 잘 살겠지 뭐. 축하해."
"고마워. 다음 달 둘째 주 토요일인데 올 수 있지?"
"아니, 미안, 그 날 출근해야 해서."
"아....... 아쉽네."
"못 가는 대신에 오늘 밥은 내가 살게."

반사적으로 나온 거짓말. 축의금을 내는 것보다 밥 한 번 사주는 게 더 싸게 쳐서. 그리고 졸업한지 3년이나 지났는데 아직도 백수라는 사실을 숨기기 위해서. 이젠 입에 침도 바르지 않아도 될 정도로 거짓말에 익숙해졌다. 이후로는 별 다른 대화가 오가지 않았다. 잠시 서로의 근황에 대해 듣다가 내 쪽에서 먼저 말을 흐리고 대답을 피하자 저쪽에서도 딱히 말을 걸지 않았다. 잠시 뒤에는 숟가락이 밥그릇을 긁는 소리와 반찬을 집는 젓가락 소리 외에 다른 소리는 나지 않았다.

이 친구를 만나는 것도 오늘이 마지막이 되겠지.

"너는 다시 시청역으로 가?"

 식당에서 나와 담배에 불을 붙이며 친구가 묻는다. 내뱉은 담배연기가 얼굴을 희미하게 가려준다.
"어, 지하철 타고 돌아가야지."
"그래, 나는 차를 이쪽에 대놔서, 먼저 들어가 나중에 또 볼 수 있음 보고."
"연락할게."

 기약 없는 약속을 하고 돌아선다. 이제 더 이상 가방은 무겁지 않다. 대신 두 다리가 무겁다. 저 친구는 돌아갈 집이 있고 직장이 있고 다음 달이면 아내가 될 사람이 있다. 그에 비해 아무것도 가지지 못한 내가 짊어진 무게가 더 무겁다. 납덩어리를 다리에 메고 질질 끄는 것처럼 역으로 향하다가 도저히 발걸음이 떨어지지 않아 길 가에 있던 포차로 들어갔다.

"어서 오세요."
"안녕하세요. 이모님 여기서 제일 싼 안주가 뭐에요?"
"총각 그럼 번데기 어때? 내가 많이 줄게."
"그럼 번데기 하나랑 소주 한 병 주세요."
"네 잠시만 기다리셔요."

 주문을 하고 삐걱거리는 플라스틱 의자에 앉았다.

이런 순간에도 같이 술 마실 사람 하나 없구나. 이번엔 허탈한 웃음이 나왔다.

"총각 안 좋은 일 있어 보이는데, 이거 마시고 털어 버려요."
"감사합니다."

넘칠 듯 아슬아슬하게 한 잔을 채워 바로 식도로 털어버린다. 알코올의 쓴 맛이 뱃속에서부터 올라온다. 이런 기분 나쁜 느낌을 좋아하지는 않지만, 모두가 그렇게 하듯, 지금은 취해서 다 잊어버리고 싶다.

"속 버릴라, 안주도 먹으면서 먹어요."
"네."

큼지막한 그릇에 번데기가 한 가득 나왔다. 혼자 먹기엔 많은데. 젓가락을 집었다가 다시 내려놓고 숟가락을 들어 한 입 크게 넣는다. 입안에서 번데기가 터지고 고소함과 달콤함이 입안을 개운하게 해준다. 방금 밥을 먹어서 배가 부르지만 한 숟갈 또 퍼서 씹어 삼킨다. 소주의 쓴맛은 지워지는데, 마음 한가운데 씁쓸한 기분은 아무리 해도 지워지지 않는다. 다시 소주 한잔. 다시 번데기 한 숟갈. 반복하다 보니 어느새 한 병을 다 마시고 취기가 올라오기 시작한다. 어지러움에 고개를 똑바로 드는 것도 어렵다. 자꾸만 돌아가는 시선을 이모님에게 고정 시키고 한 병을 더 주문한다.

"한 병 더 주세요."

"총각 벌써 취한 것 같은데, 이번 것까지만 먹고 집에 돌아가는 게 좋을 것 같아."

"네, 그래야죠. 집에 가야죠."

다시 한잔, 두잔. 그러다가 식탁에 머리를 부딪치는 기억과 함께 잠들어 버렸다.

"총각. 총각. 이제 일어나요 늦었어."

"네? 제가 얼마나 잔거죠?"

"한 4시간 정도? 깨워봤자 집에 갈 상태도 아닌 것 같아서 일단 자게 됐는데, 이대로 뒀다간 지하철 막차 놓칠 것 같아서 깨웠어요."

"아. 죄송합니다."

"아니에요. 조심히 들어가요 총각."

정신 차려 보니 아까 마시던 술이 아직 반병이나 남아있다. 아깝지만 여기서 더 마셨다간 정말 머리가 깨져 버릴지도 모른다. 연신 사과를 하며 계산을 하고 나왔다. 나오자마자 불어오는 시원한 밤바람에 정신이 조금은 돌아와서 역까지 가는 길을 헤매지는 않았다. 하지만 계단을 내려가는데 다리에 힘이 풀리고 계단이 자꾸 솟아오르는 것처럼 보여서 난간을 잡고 주저앉듯 힘겹게 승강장까지 도착했는데 그와 동시에 전철이 떠나 버려서 짜증을 내며 벤치에 앉았다. 숨 쉴 때마다 올라오는 알코올 냄새 때문에 다시 취하는 것 같았다. 혹시나 누가 옆에 있을까봐 주위를 둘러 봤는데, 역시 늦은 시간이라 그런지 나 외에 다른 사람은 보이지 않았다. 안심하며 다음 전철까지 잠시 눈이라도 붙이고 있으려 했는데, 안내 음성이 울려 퍼졌다.

"오늘의 운행이 종료 되었습니다."
"어?"

아무도 없는 것을 확인했으니 목소리를 높여 화를 표출했다.

"아씨! 이러면 택시 타고 가야 하잖아!"

이미 오늘 지출이 많았기에 택시를 타지 말고 근처에 있는 찜질방을 찾아서 거기서 밤을 보낼 생각으로 다시 계단을 향해 발길을 돌리는데 승강장 바닥에 검은 물체가 눈에 들어왔다. 뭔지 궁금해서 가까이 다가가 보니 검은색 하이힐이었다. 5cm 정도의 높지 않은 굽, 끝이 뾰족하고 광이 나는 세련된 구두였다. 누가 전철을 급하게 타다가 벗겨진 건가? 막차라고 뛰어서 타다가 그 사람도 모르게 벗겨진 모양이다. 어떻게 해야 하나 잠시 고민하다가, 분실물 센터가 생각났다. 거기에 맡겨 놓으면 주인을 찾아주겠지. 다른 것도 아니고 구두인데 분명 찾으러 올 것이다. 게다가 이걸 가져다주는 핑계로 또 한 번 그녀와 만날 수 있게 될 테니까. 좋은 일도 하고 일석이조다. 그럼 일단 오늘은 이 근처에서 자고 내일 아침에 집에 돌아가는 길에 맡기고 가야겠다. 아무도 없는 승강장에 혼자 있으려니 무섭기도 하고 이 구두를 집어든 순간부터 알 수 없는 한기도 느껴지는 것이 빨리 이곳에서 벗어나고 싶어졌다.

"그거 제 구두네요."

갑자기 뒤에서 들린 여자 목소리에 놀라 제자리에서 뛸 뻔했지만 불행인지 다행인지 술 취한 몸이 그렇게 날렵하게 움직여주지 않았다. 최대한 차분한 척 천천히 고개를 돌리니 검은 머릿결이 보였다. 그래도 다른 사람이 있다는 사실에 안심하며 몸까지 그녀를 향해 완전히 돌렸다.

"아 주인 분 아직 여기 계셨구나. 저는 이거 두고 가신 줄 알고 내일 분실물 센터에 맡기려고....... 어?"

아직 정신이 온전치 않아 상황파악이 느렸지만 그 얼굴은 스쳐 지나가며 보더라도 알아 볼 수 있을 얼굴이었다. 분실물 센터의 그녀. 하지만 지금은 평소에 마주치던 모습과 다르게 사복을 입고 있다. 특이하게도 종아리 부근까지 내려오는 웨딩드레스 같은 옷을 입고 있었다. 항상 회색 유니폼을 입은 모습만 봤었는데, 아무리 사복이라지만 이건 온도 차이가 너무 심한 것 아닌가........ 그녀의 머리칼만큼이나 검은 드레스가 민소매 밖으로 드러난 그녀의 하얀 팔을 더욱 눈부시게 만들어준다. 지금 내 얼굴에서 느껴지는 열이 술 때문인지 아니면 그녀 때문인지 헷갈리기 시작했다.

"구두 돌려주실래요?"

"아? 네 당연히 돌려 드려야죠."

정신없어서 눈치 채지 못하고 있었는데 그녀의 발을 내려다보니 한 쪽 발에 구두가 벗겨져 있었다. 나는 신데렐라를 찾은 것 같은 기분으로 그녀 앞에 구두 한 짝을 내려놓았다. 그러자 그녀는 노출 되어 있던 발을 구두 안으로 밀어 넣고 만족스러운 표정을 지었다. 평소에 보던 환한 미소와 다르게 자연스러운 그 얼굴에 더욱 마음이 빠져 들었다.

"그럼 이제 조심히 가세요."

"아, 네, 그쪽도 조심히 가세요."

이번엔 인사를 하는데도 미소를 짓지 않는다. 하긴, 지금까지 만났을 때 나와 그녀는 직원과 손님의 관계로 만났던 것이다. 지금까지 나에게 지어준 미소도 일을 하다 보니 나온 억지 미소였겠지. 생각해보면 지금의 나는 그녀가 굳이 웃어줄 만한 사람이 아니다. 어차피 이제 만날 일이 없을 테니 고개를 숙이고 한숨을 쉰다. 만들어진 친절함에 지나친 기대와 망상을 했던 내가 바보였다. 그런데 그 순간 그녀가 내 얼굴을 양손으로 감싸고 자신의 얼굴을 가까이 가져온다. 눈을 마주치는데 자꾸만 시선을 피하게 된다. 이렇게 가까이서 본 적이 없는데, 게다가 지금 술 취해서 냄새도 날 텐데. 하지만 갑작스런 그녀의 돌격에 심장 박동이 빨라져서 이성이 마비된다. 혹시 이대로 눈을 감으면.......

"제가 왜 보이는 거죠?"
"네?"
"저 보이는 거 맞죠? 지금?"

　이런 전개는 상상도 못했는데....... 짧은 순간에 수 만 가지 생각이 스친다. 하지만 가장 현실성 있는 것은 그녀가 장난을 치는 것이거나 아니면 나처럼 술에 취했다거나 인데, 홍조도 없고 말도 똑바르게 하는 걸 보니 장난을 치는 모양이다. 그래도 제대로 된 대화를 해보는 건 이번이 처음인데 벌써부터 이런 장난이라니, 꽤나 장난기 넘치는 성격인 모양이다. 지금은 그냥 적당히 어울려 주자.

"보이니까 보인다고 하죠."
"그럼 안 되는데 이상하네요."
"저 그, 장난은 이제 그만하죠. 슬슬 섬뜩해지기 시작했는데."
"장난이라뇨? 저는 지금 진지한데."
"그럼 진지하다면 무슨 뜻인지?......"

　머릿속에 스친 생각을 부정하고 싶어서 괜한 질문을 던졌다. 점점 모든 상황이 한 가지 현실을 가리키고 있지만, 제발 거짓말이라고 믿고 싶었다. 지금에라도 웃는 얼굴로 표정을 바꾸고 거짓말이라고 해주길, 바라고 또 바랐다.

"저 귀신이에요. 방금 죽었거든요."

"하....... 하하......."

"아직도 농담 같아요?"

 너무 진지하기에 농담 같이 느껴지지 않아서 문제이다. 이제 보니 보이지 않던 것들이 눈에 들어온다. 평소에 피부가 흰 편이라는 것은 알고 있었지만 이상하리만치 창백한 피부, 옅은 미소를 띠고 있지만 그와 다르게 눈에는 생기가 전혀 없다. 모든 것을 포기한 사람의 눈빛. 아름다운 눈동자이지만 깊이가 없다. 흙탕물이 가득한 호수를 바라보는 것처럼, 똑바로 쳐다보기가 힘들다. 나도 모르게 고개를 돌리고 눈을 피했다. 그녀도 내 얼굴에서 손을 거뒀다. 그러고 보니 손에도 온기가 없었구나. 그녀가 살아 있는 사람이 아니라는 사실이 점점 확증 되어 간다. 뒤늦게 지각했지만 승강장 안에 피비린내가 가득하다는 걸 깨달았다. 비릿한 철 냄새가 코를 통해 후각을 자극하자 뒤집어진 속도 함께 날뛰기 시작했다. 자꾸만 역류하는 뱃속을 달래며 이성을 유지했다.

"정 안 믿기면 저기 철로에 산산조각난 제 시체라도 보실래요? 제가 먼저 봤는데 완전히 찢겨서 영보기 좋지 않긴 한데."

"아니에요. 믿어요. 믿을게요."

"좋아요. 그럼 지금부터 부탁하고 싶은 일이 있어요."

"뭔데요?"

"어렵지 않아요. 그냥 간단한 소원 열 가지 정도만 들어

주는 거.”

　그 말을 함과 내 목을 감싸 안으며 다가온 그녀 때문에 다시 심장이 뛰었다. 어느새 눈의 생기도 돌아와 내가 알던 그녀의 눈빛으로 돌아가 있었다. 지금 이 순간 나는 등나무에 감긴 고목이 되어 등꽃처럼 아름다운 그녀에게 묶여 움직일 수 없었고, 심장이라도 내어 줄 수 있을 것 같은 유혹에 빠져 들었다. 이런 게 귀신에게 홀리는 기분인가? 술 냄새와 피비린내는 온데간데없고 꽃향기가 코를 간질이는 듯하다. 역한 기분도, 공포감도 모두 사라졌다. 누군가의 품에 안겨 있다는 평안함만이 남아 있었다.

“어려운거 아닌데, 들어 줄래요?”
“일단 들어 보죠.......”
“일단 제 남자친구가 되어 주셔야 해요.”

　처음 조건부터 쉽지 않은 것이라 말이 나오지 않았다. 아니 무엇보다 갑작스러웠다. 그녀가 살아 있었던 때는 얼굴을 마주보고 상투적인 대화를 하는 것이 그녀에게 다가 설 수 있는 마지노선이었다. 넘을 수 없던 그 선에 대해서 수 없이 괴로워하고 혼자 밤잠을 설쳤다. 런닝머신 위에 선 것처럼 아무리 나아가도 제자리로 돌아가던 그 자리에서 한순간에 내가 원했던 종착지에 도달하게 된다니. 급격한 변화의 여파는 나를 뒤로 한 발짝 물러나게 만들었다.

"싫어요?"
"아니 그게 아니고 갑작스러워서요."

 내가 당황하는 모습을 보고 거절의 의미로 받아들인 모양이다. 그건 아닌데, 오해라고 변명하기에는 아직 생각이 다 정리되지 않았다. 아주 잠깐이라도 좋으니 눕고 싶어졌다. 잠시만 생각을 멈추고 이 상황을 받아들일 수 있도록 마음의 준비를 하고 싶었다. 하지만 그런다고 해서 납득이 될까. 일방적인 사랑으로 충분했다. 아니 충분하다고 생각했다. 나에겐 과분한 사람이라는 것을 알기에 바라만 보는 것으로 만족하며 돌아서야했다. 언제든 떠날 수 있는, 언제든 바라 볼 수조차 없는 남이 될지 모르는. 그랬던 그녀가 한 번에 보폭을 벌려 내 앞으로 다가왔다. 그래 여기까지는 어쩌면 납득할 수 있을지도 모르겠다. 감사한 마음으로 받아들이면, 내게 기적이 일어났다고 생각하며 믿으면. 새해에 나이를 먹는 일처럼 처음엔 어색하다가 어느 순간 자연스럽게 다가와 있을 것이다. 시간이 지나면 이해가 될 것이다. 하지만 단 한 가지. 그녀가 죽었다는 사실. 그리고 아무리 사랑했던 사람이라 해도 죽은 사람과의 사랑을 할 수 있을까? 나를 가만히 바라보고 있는 그녀의 어깨에 손을 얹었다. 예상과 다르게 만져지긴 했지만, 체온이 느껴지지 않았다. 따뜻하다, 차갑다, 라는 느낌이 아닌. 아무것도 느껴지지 않는 상태. 손끝의 그 감촉이 그녀가 더 이상 사람이 아니라는 확신을 들게 해준다. 나는 다시 한 번 물었다. 이런 그녀를 나는 사랑할 수 있는가.

"아니오."
"네?"
"죄송해요 안 될 것 같아요."

　당황. 처음으로 그녀의 얼굴에 떠오른 표정. 뒤 이어 억지 미소를 지으려다가 잘 안 되는지 고개를 떨궜다. 그녀의 시선을 따라가니 생각이 많은지 발끝을 세우고 그림을 그리는지 발목을 이리저리 돌리다가 그마저도 잘 안됐는지 다시 발을 나란히 두고 심호흡인지 한숨인지 헷갈리는 깊은 숨을 내쉬었다. 그 모습을 보니 미안해졌지만 어쩔 수 없다. 나는 그녀를 사랑할 수 없다는 것이 최선의 결론이다. 결국 나는 겁쟁이다. 그녀는 잠시 고개를 숙인채로 있다가 이내 결심한 듯 내 양손을 잡았다. 뭔가 말하기 시작했지만 중얼 거리며 말하는 탓에 알아듣지 못하고 있다가 갑자기 그녀가 고개를 드는 탓에 얼굴을 부딪칠 뻔 했다. 고개를 든 그녀는 금방이라도 눈물을 흘릴 듯이 울상이 되어 있었고 나를 빤히 쳐다보다가 떼쓰는 어린 아이처럼 말을 토해내기 시작했다.

"지호씨 너무해요. 제가 살아 있을 때는 저 좋아했었잖아요. 어려운 부탁 들어 달라는 것도 아니고 소원 열 가지인데, 좋아하는 마음도 가짜였어요?"
"그건 살아 계실 때 이야기였죠....... 하지만 지금은......."
"너무해요! 각오해요 끝까지 괴롭힐 거니까!"

　그 말을 하고는 복어처럼 볼을 잔뜩 부풀리고 나를

노려보다가 아침 햇살에 안개가 사라지듯 사라져버렸다. 그와 동시에 나도 온몸이 무겁게 느껴져 그 자리에 주저앉았다. 몇 분 사이에 말도 안 되는 일이 너무 많이 일어나서 머리가 복잡했다. 술기운 때문인지 과도한 정보처리 때문인지 머리에서 열이 나는 것 같았다. 꿈인가? 차라리 너무 취해서 환각을 본 거라고 하고 싶다. 차가운 콘크리트 바닥에 앉아 있으니 엉덩이와 손목까지 시려왔지만 차라리 머리를 대고 누워서 머릿속 가득한 열기를 빼 버리고 싶었다. 하지만 그 생각을 실행으로 옮기기 전에 순찰을 돌던 공익 요원이 나를 발견하고 역 밖으로 안내해 주었다. 12시가 넘은 시간이 되니 여름이지만 제법 서늘했다. 사람들끼리 부딪힐 정도로 혼잡하던 거리도 경적 소리를 높이며 제 갈 길을 가던 자동차들도 거의 집으로 돌아갔다. 지나친 고요함에 그리고 쌀쌀함에 소름이 돋았다. 온몸이 떨려도 정신은 여전히 잠에서 막 깨어난 것처럼 멍했다. 꿈이라기엔 너무 생생한 경험. 현실이라기엔 지나치게 환상적인. 꿈과 현실 사이에서 줄타기를 했던 그 순간을 나의 이성은 최종적으로 꿈이라고 판단했다. 술에 취해서. 기력이 쇠해서. 외로워서. 피곤해서. 이런 조건들이 맞물려져서 뇌가 착각을 일으킨 것이다, 라고. 멀리서 불빛을 내 앞으로 비추며 지나가려던 택시를 멈춰 세우고 집으로 가기 위해 뒷좌석에 올라탔다.

"신림역으로 가주세요."
"네 알겠습니다."

푹신한 시트에 몸을 기대니 긴장이 풀려서 눈이 자꾸만

감겼다. 그런데 이대로 잠들면 다시 꿈에 빠져 허우적거릴 것 같아 고개를 좌우로 흔들었다. 도로가 한적해 20~30분 정도면 목적지에 도착하겠지만 그 시간을 견뎌내기조차 버겁다. 시선 둘 곳을 찾아 눈을 돌리다가 백미러 안에서 기사님과 눈이 마주쳤다. 어딘가 불안해 보이는 모습과 불편해 보이는 안색. 그런 나를 바라보는 기사님의 눈에는 걱정이 서려 있었다. 1초도 되지 않는 짧은 찰나. 그는 다시 시선을 도로로 향하고 그 대신 입을 열어 나에게 말을 걸어 주었다.

"괜찮으세요?"
"아. 네. 그냥 좀. 놀래서요."
"무슨 일 있으셨나요?"

방금 전에 일어난 일. 자살한 사람이 귀신이 되어 내 눈앞에 나타나 자신의 소원을 들어 달라고 했다. 같은 이야기를 처음 보는 사람이 한다면 어느 누가 믿어 주겠는가? 나도 시선을 돌려 창밖을 바라봤다. 꺼지지 않는 화려한 네온사인의 빛이 내 얼굴을 스쳐 지나갔고, 내면의 갈등 끝에.

"그냥 술을 좀 많이 마셨어요."

라는 적당한 대답으로 대화를 일단락 시켰다. 그 이후로 아무도 입을 열지 않았고 나는 계속해서 창밖을 보고 있었다. 그 순간 어디선가 사이렌 소리가 울리고 반대편 차로에서 경찰차와 구급차가 한 대씩 지나가는 모습이 보였다. 귀를 찌르는

끼익. 눈이 시릴 정도로 반짝이는 불빛. 반사적으로 고개를 앞으로 돌리니 내 시선을 느낀 듯 기사님이 먼저 입을 열었다.

"어디서 사고라도 난 모양이네요."
"그러게요. 저 방향이면 시청 쪽 같은데. 무슨 일......"

 순간적으로 구토가 올라왔다. 차 안이었기에 필사적으로 참았지만 식도를 역류한 위산은 이미 내 속을 뒤집어 놓았다. 무슨 일이 일어난 것인지 본능적으로 직감했다. 아니라고 믿고 싶었지만 모든 정황은 한 가지 상황을 가리켰다. 올라오려는 구토를 다시 삼키고 가슴을 주먹으로 쳤다. 심호흡을 하고 정신을 가다듬었다. 계속해서 아니라고 부정하기 위해서. 내가 보고 들은 모든 상황이 사실이 아니라고 믿기 위해서. 마지막으로 거짓말 한 마디를 한 뒤 억지로 눈을 감았다.

"아무 일도 아닐 거 에요."

 눈은 감았지만 온 몸 구석구석에서 느껴지는 심장 박동에 잠을 이룰 수는 없었다. 어두운 방에서 누군가 갑자기 불을 켜고 들어 올 때처럼 있는 힘껏 눈꺼풀을 붙이고 머릿속에서 맞춰지는 퍼즐 조각들을 흩트려 놓으려 했다. 조금 전 본 긴급 상황이 그녀와는 아무런 관계가 없다고, 만약 관계가 있다면 나는 자살한 사람의 시신을 그 자리에 방치해 두고 온 것이 된다. 그 죄책감을 어떻게 감당할 것인가. 입술을 꽉 깨물며 제발 모든 것이 꿈이길 빌었다. 아직 나는 악몽을 꾸는 중이고 이제 곧 창문으로 들어온 햇빛에 눈이 떠질 것이라고. 제발 이 라는 단어를 주문 외우듯 반복하다가 눈을 떴지만 내가 본 것 은 방금 도착했다고 알려주신 기사님의 얼굴이었다. 나지막이 한숨을 쉬고 택시비를 드린 후 차에서 내렸다. 죄책감이 온몸 을 짓눌렀다. 그 무게가 피부로 느껴지는지 다리가 후들 거리 고 묵직한 중압감이 등을 누르고 있었다. 단순히 피곤함이라고 하기 에는 발걸음이 쉽게 떨어지지 않았다. 하지만 아직 올라 야 할 언덕이 남았다. 차가 들어가기에는 너무 좁은 골목. 세 사람이 나란히 걸으면 틈이 없는 이 좁은 길을 올라야 겨우 집에 들어갈 수 있다. 그렇다고 여기서 잠들 수는 없으니 족쇄 가 묶인 듯 무거운 발을 한 발 한 발 끌고 올라간다.

집에 도착해 시간을 확인해 보니 새벽 2시가 다 되어 간다. 그래도 안정감 때문인지 몸이 가벼워지긴 했는데 옷 벗을 기 력조차 남아 있지 않아서 입은 옷 그대로 이불 안으로 들어갔 다. 이 시간까지 깨어 있던 적이 거의 없어서 이렇게까지 추운 줄 몰랐다. 오늘따라 얄팍한 여름용 이불이 제몫을 하지 못하 는 게 원망스럽다. 따뜻한 물로 몸을 데우고 싶다는 충동이 일 지만 금방이라도 녹아내릴 것 같은 몸은 완강한 거부 의사를 표한다. 대충 벗어둔 신발이 문에 걸려 찬바람이 들어오고 있 다는 사실조차 모른 채 내 피곤한 몸은 잠들어버렸다.

정신 차려 보니 여느 날처럼 눈부신 햇살에 눈이 떠졌다. 커 튼이 쳐져 있는 창문을 보고 이상함을 느꼈는데, 빛이 들어오 는 방향을 보니 살짝 열린 문틈 사이 신발이 보였다. 충분한 수면을 보장 받지 못한 것에 짜증을 내며 일어나 신발을 들고 허리를 세웠는데 문 앞에 서 있던 사람들과 대면했다. 택배가 온 건지, 가족이 찾아 온 건지, 방금 잠에서 깬 싱싱한 뇌는 생각을 멈춰 버렸고 나와 마주친 그 사람이 문을 밀고 들어오려고 해 나도 모르게 뒷걸음질 쳤다. 누구라도 좋으니 이 상황에 대한 설명을 해줬으면 하는 간절함이 피어났다.

"어제 현장에 마지막까지 계셨다고 들었는데 사실입니까?"
"고인과 생전에 어떤 관계셨습니까?"
"사건을 직접 목격하신 건가요?"

상황에 대한 설명은커녕 알아들을 수 없는 질문들만 내게 쏟아졌다. 나에게서 뭘 원하는 건지 파악이 된 순간 나는 있는 힘껏 문을 닫아 버렸다. 그대로 문에 등을 붙이고 현관에 주저앉았다. 떨리는 손으로 주머니에 들어 있던 스마트폰을 꺼내 인터넷으로 들어가 믿고 싶지 않은 한 가지 사실을 검색했다.

'시청역 자살'

검색어 순위에 올라가거나 기사로 도배될 정도의 큰 사건은 아니었다. 사건의 전말에 대한 추측성 기사들이 소수의 관심을 끌 뿐이었고 댓글에는 생전에 알지 못하던 사람에 대한 명복과 추모의 글들이 달려있었다. 기사를 대충 읽어보니 지하철이 들어 올 때 뛰어든 것이 아니라 선로에 들어 가 있었기에 치인 것을 알지 못한 채 전철이 지나가 발견이 늦었다고 한다.

자세한 경황을 듣고 싶어 한 기자들이 나를 찾아온 것 같은 데 귀신을 만났다고 해 봤자 믿을만한 사람들이 아니다. 그냥 솔직하게 아무것도 모른다고 말하는 게 가장 좋을 것 같다. 날 어떻게 알고 찾아온 건진 여전히 모르겠지만. 문에 귀를 붙이고 밖이 조금은 잠잠해졌음을 확인하고 문을 열었다. 천천히 고개를 내밀자 확실히 좀 전 보다는 사람들이 줄어 있었지만 남아 있는 인원은 여전히 내게서 어떤 말이든 좋으니 듣길 원하는지 녹음장치를 들이댔다.

"그 시간에 그 자리에 계셨던 건 우연인가요?"
"네 순전히 우연이었고 저는 그런 일이 일어난 지도 모르고 집으로 돌아 와서 아무것도 모릅니다. 돌아가 주세요."
"하지만 그 시간에 근무 중이던 사회복무요원이 여기를 찾아가면 어떤 이야기든 들을 수 있을 거라고......."
"다시 말씀 드리지만 저는 그 자리에서 아무것도 못 보고 나왔습니다."

다시 문을 닫고 이번엔 확실하게 문을 잠갔다. 이렇게 하면 포기하고 돌아가겠지. 더 이상의 의미 없는 논쟁은 피하고 싶었다. 다시 문에 등을 붙이고 기대어 서서 천장을 보며 한 숨을 쉬었다. 지나치게 평범하던, 남들보다 조금 더 지루한 인생이 하룻밤 사이에 뒤집어졌다. 하지만. 이제 문 앞의 기자들만 돌아간다면 다시 평범한 일상으로 복귀할 것이다. 그럼 나는 다시 원래대로. 아니다. 삶에 큰 구멍이 생겨 버렸다. 일상의 한 자리가 비어 버렸다. 그녀가 없는 지금의 나는 비루할 정도로 평범한 삶의 구덩이에 떨어지는 중이다.

"와 기자들은 어떻게 알고 여기까지 왔을까요?"
"어제 나오는 길에 인적사항 적어 놓고 왔는데 그걸 보고 온
건가 봐요."
"지호씨가 뭘 안다고."
"그러게요 제가 뭘 안다고......"

익숙한 목소리에 대답하며 자연스럽게 대화를 하고 있었는데
지금 이 집 안에는 나 혼자 있다는 생각이 들자 시선을 앞으
로 향할 수 없었다. 그 목소리가 누구인지는 이미 알았지만 그
녀가 이 곳에 있을 리가 없다. 지금 내 앞에 얼굴을 들이밀며
웃고 있는 이 여자는 지금 내 앞에 없는 거다.

"언제까지 딴 곳만 보고 있을 거에요?"

내가 아랑곳하지 않고 천장만 바라보고 있으니 그녀가 내 몸
에 손을 대기 시작했다. 손끝으로 가볍게 어깨에서부터 가슴으
로 손을 쓸어내린다. 그녀의 손길이 스치자 간지러움 때문에
몸이 움찔했다. 그러자 더욱 재미있다는 듯 웃음소리를 내며
어린아이처럼 나를 감싸 안았다. 지난 밤 느꼈던 꽃향기가 사
방에서 느껴진다. 코로만 향을 맡는 것이 아닌 피부로 느껴지
는 향기. 내 속으로 스며드는 향긋함에 몸의 기운이 빠져나갔
다. 지친다는 느낌이 아닌 평안함. 건조기에서 금방 꺼낸 이불
을 감싸고 있는 것처럼 포근함이 느껴졌다. 이런 기분이라면

귀신에게 홀리는 것도 괜찮다는 생각이 들었다.

"지호씨 피곤해 보이는데 우리 앉아서 이야기 할까요?"
"네 좋아요."

 그녀는 마치 자신의 집으로 나를 초대하듯 나를 방 안으로
이끌었다. 서로 마주보고 앉은 뒤 몽롱한 상태로 그녀를 바라
보았다. 밤하늘 가운데 뜬 보름달처럼 검은 머리칼 사이로 보
이는 흰 얼굴을 그 색이 대비 되어 더욱 돋보였다. 어제도 그
랬듯이, 오늘도 아름다운 모습이었다. 지금이라면 영혼을 내놓
으라고 해도 줄 수 있지 않을까? 한 마리 다람쥐처럼 순진한
표정을 짓고 있는 그녀가 그런 요구를 할 것 같지는 않지만.
상황이 이렇게까지 되니 이제 꿈이 아니라 현실이라는 확신이
들었다. 꿈이라면 이렇게 길 리가 없고, 오감이 너무나도 생생
하다. 나에게 주어진 이 상황을 일단 받아들이기로 했다.

"어제하던 이야기 계속 하려고 오신 거죠?"
"네 맞아요. 어제 말했던 소원 이야기."
"그전에 왜 소원을 들어 드려야 하는지 먼저 들을 수 있을까
요?"

 점점 잠에서 깨어나고 그녀와 접촉이 없어지니 이성이 활동
하기 시작했다. 무조건적인 수긍도 무조건적인 거절도 좋지 않
다. 전후사정을 들어보고 납득할만한 것이라면 들어주고 아니
라면....... 쉽게 떨어져 주진 않겠지만 최대한 거절 의사를

밝히는 걸로 하자. 그녀도 잠시 생각을 정리할 시간이 필요한 지  고개를 살짝 틀어 방 한 구석을 바라보며 뭔가 심각한 고민에 빠진 표정을 하고 있다. 사실 죽은 사람이 내 앞에 있는 나도 당황스럽지만, 죽은 후에 귀신이 되었다는 본인도 혼란스러울 것이다. 아직 하루는 길고, 물어 봐야할 것도 많다. 그리고 기대했던 것과는 다르지만 그토록 바래왔던 대화니까. 잠시 앉은 채로 기다리니 그녀도 정리가 된 듯 입을 열었다.

"우선 말씀 드려야 할게, 자살한 영혼은 흔히 말하는 사후세계로 갈 수가 없어요. 죽음의 섭리를 거스른 행동에 대한 처벌 이래나 뭐라나. 저도 설명을 간략하게 들은 거라 자세한 건 잘 모르겠고, 그 업보를 씻은 후에야 승천할 수 있다는데, 그 조건이 이상하더라고요."
"어떤 조건인데요?"
"이승에 남은 미련을 해결하고 오는 것. 이라고 하더라고요."
"그리고 그 남은 미련이 열 가지 라는 거죠?"
"네 이해가 빠르시네요."
"그런데 왜 하필 전가요?"
"그거는 첫 번째 마침 지호씨가 그 자리에 있었다. 두 번째 저를 볼 수 있었다. 가장 중요한 세 번째."

 그녀는 잠시 말을 멈추고 내 가슴을 가볍게 밀어 나를 뒤로 넘어뜨렸다. 이불을 치우지 않아 그 위로 나는 자연스럽게 눕는 상태가 되었고 그런 내 위로 그녀가 올라왔다. 영혼이라면 무게가 없을 줄 알았는데, 약간의 무게감이 복부를 눌렀다.

책이 든 작은 가방과 같은 무게. 그 느낌이 싫지는 않았다. 그리고 점점 그녀의 얼굴이 나에게로 다가온다. 천천히 아주 천천히. 첫 눈송이가 떨어지는 속도로. 머리칼이 먼저 볼에 닿았지만 간지럽지는 않았다. 우리 둘의 얼굴이 일직선으로 놓이자 다가오기를 멈추고 다시 말을 이어갔다.

"가장 중요한 세 번째. 지호씨가 나를 좋아한다."
"그건......."
"이제 와서 아니라고 하진 않겠죠? 그렇게 매번 일부러 물건을 잃어버리면서까지 저를 찾아 왔으면서."
"그건 또 어떻게 알고."
"여자의 촉? 이랄까나."

그렇게 말하며 웃는 모습에 심장이 격하게 뛰었다. 손끝에서도 박동이 느껴지는데 지금 내 위에 있는 그녀도 이걸 눈치챌까봐 겁이 났다. 역시 사람은 속일 수 있어도 귀신은 못 속이는 건가. 내가 좋아하는 그녀를 위해서 소원 열 가지 정도야 들어 줄 수 있지 않겠나, 라는 생각이 들기 시작했다. 적은 수가 아니니 어려운 부탁을 할 것 같지도 않고, 어제 말했던 조건. 그녀의 남자친구가 되는 것. 첫 연애 대상이 귀신인 건 좀 받아들이기 어렵지만, 이 런 그녀라면. 괜찮지 않을까.

"그럼 그 소원 열 가지는 뭔가요?"
"그건 나중에 알려 드릴게요. 우선 제 남자친구가 되어 주신다고 약속해 주시면."

"네 좋아요."
"그럼 일단."

 이라고 말하며 그녀가 내 몸 위에서 내려갔다. 내 앞에서 무릎을 꿇고 앉은 그녀를 따라 나도 무릎을 꿇고 그녀를 마주 보았다. 아무 말도 없기에 눈을 마주치고 있었더니 갑자기 고개를 돌려 버렸다. 그 덕분에 어색한 기운이 집 안을 가득 채웠는데 이대로 있기는 나도 민망해서 말을 걸어 보려 했더니 그녀 볼의 홍조가 보였다. 행동에 거침이 없기에 당당한 줄 알았는데 막상하고 보니 부끄러운가보다. 그런 모습을 보니 상황이 역전 되었다고 생각해 놀려 보고 싶어졌다.

"왜 그러세요? 설마 부끄러워서 그래요?"
"놀리지 마세요."

 그렇게 말하고는 아예 등을 돌려 버렸다. 화나게 해버린 건 아닌가 걱정이 되어서 슬금슬금 옆으로 가 봤는데 여전히 반응이 없다. 귀신이랑 같이 있어서 그런 건진 몰라도 자꾸 한기가 느껴진다. 앞으로도 이런 오싹한 느낌을 계속 받아야 하는 건가? 지금 같은 한 여름이라면 이런 에어컨을 틀어 놓은 정도의 기분은 좋지만, 슬슬 싸늘해지기 시작해서 빨리 화를 풀어 줘야 할 것 같다. 여자가 한을 품으면 오뉴월에 서리가 내린다는 속담은 들어봤지만 그 대상이 귀신이면 정말로 서리가 내릴지도 모르겠다. 그나저나 여자랑 제대로 대화를 해본 적도 없는 내가 이 난관을 어떻게 헤쳐 나가야 할지 걱정이다.

무조건 잘못했다고 사과를 해야 하나? 아니면 장난이었다고 웃어 넘겨야 하나? 우물쭈물하는 사이에 방은 점점 더 추워지고 있다. 어떻게 되든 일단 해결하려고 시도해 보자. 일단 조심스럽게 그녀의 옆으로 다가가 사과하려는 순간 갑자기 그녀가 고개를 돌려 왁! 하며 나를 놀라게 하는 바람에 다시 한 번 뒤로 나자빠졌다. 내 반응이 크기도 했지만 그런 모습에도 배를 잡고 웃는 모습이 영락없는 어린아이 같았다.

"많이 놀랐어요?"
"깜짝 놀랐잖아요!"
"아니, 제가 화난 줄 알고 어쩔 줄 몰라 하는 모습이 너무 귀여워서. 죄송해요."
"아무튼 그쪽 화났을까봐 얼마나 조마조마 했는데요."

그쪽? 생각해 보니 아직 이름도 모르는구나. 어떻게 안 건진 모르겠지만 그녀는 내 이름을 알고 있고 본의 아니게 한 쪽만 통성명한 사이가 되어 있었네. 계속 모르는 상태로 있을 순 없으니 실례를 무릅쓰고 물어 보기로 한다.

"저기 이제 와서 물어보는 것도 조금 웃기지만. 성함이 어떻게 되시나요?"
"그러고 보니 아직 안 알려드렸네요. 저는 진소현이라고 해요 소현씨라고 불러주세요."
"네 소현씨. 저는 최지호. 이미 아시죠?"
"네. 전에 지갑 잃어 버리셨을 때 신분증 확인했었거든요."

"그럼 주소도 그때 알고 이렇게 찾아 온 거 에요?"
"아뇨? 어제 지호씨 등에 업혀서 왔는데요?"

 아 어쩐지 등이 무겁더라니. 이 여자 정말로 내가 소원 들어
주기를 거절 했으면 끝까지 달라붙었을 것이다. 그런 생각을
하면 조금 무섭긴 하지만, 천진난만한 저 표정을 보면 금세
마음이 녹아 버린다. 오히려 감사해야하는 건 나일지도. 항상
소현씨에게 다가가지 못해 겉돌기만 하던 나였는데 이제 그녀
가 나에게로 왔다. 기대했던 형태랑 조금 다르긴 하지만, 나의
첫 연애가 이렇게 시작되었다. 아니 잠깐만. 나 혼자서 설레발
치는 건 아닐까? 남자친구가 되어 달라는 것도 소원 중 하나
일 수 있다. 그럼 진짜로 사귀는 게 아니라 계약으로 이어진
관계가 되는 거 아닌가. 이런 건 확실하게 정하고 넘어가는 편
이 나을 것 같다.

"저 궁금한 게 있는데."
"네?"
"저희 그 사귀는 건가요?"
"아~ 어떻게 하시고 싶으세요? 원하신다면 연애는 안하고 그
냥 소원만 들어주셔도 되는데."
"아뇨. 그 이왕이면 사귀는 걸로....... 괜찮죠?"
"네 저도 그 편이 더 좋아요."

 겉으로는 긴장해서 말을 더듬고 있지만 속으로는 쾌재를 부
르고 있다. 처음에는 귀신이라는 사실이 무섭고 믿겨지지 않아

도망치려 했지만 보면 볼수록 나에게 행운이라는 생각이 들었다. 매번 말로만 듣던 연애. 주변 친구들에게서 혹은 인터넷에서 가끔가다 소설이나 드라마로 보던 것. 나에게는 다른 세상 이야기처럼 느껴지고 만에 하나 나에게 그런 일이 일어난다면 하고 싶은 일들이 수도 없이 많았던. 꿈속에서 손에 쥐었던 보석처럼 환상에서 깨고 나면 허탈하던 그런 것들이 이제 나에게 현실로 다가온다. 반쯤은 현실이 아닌가?....... 그래도 좋다. 심지어 그 대상은 명화속의 여인처럼 바라만 볼 수 있고 다가갈 수 없던 소현씨이다. 지금 보고 듣는 모든 것이 꿈 일까봐 조심스럽게 볼을 꼬집어보았다. 볼은 얼얼했지만 눈앞의 소현씨는 여전히 그 자리에 있었다. 부정할 수 없는 현실임이 확실하다. 떨리는 손을 들어 그녀의 볼에 얹어 보았다. 실제사람을 만지는 것처럼 부드러운 촉감. 손끝에 감각을 집중하면 부드러운 솜털까지 만질 수 있었다. 그런 나를 보며 미소 짓는 그녀의 모습에 손을 뗄 뻔 했지만 오히려 그녀는 자신의 손을 얹어 나를 잡아 주었다.

"지호씨 고마워요."

나도 고맙다고 말하려 했지만 그 순간에 눈치 챈 이질감에 입술이 꽉 붙었다. 다른 모든 촉감은 느껴지지만 딱 하나, 체온이 느껴지지 않았다. 차갑지는 않았다. 하지만 아무리 손을 대고 있어도 온기가 다가오지 전해지지 않는다. 잘 만들어진 인체인형을 만지는 기분. 천천히 손을 떼고 고개를 숙여 당황한 기색을 숨겼다. 아직은 처음이라 어색하지만 익숙해지면 된다. 나에게 주어진 행복을 잃는 것도 그녀에게 상처를 주는 것도 원하지 않는다. 시간이 지나면 전부 익숙해 질 거다.

 정신없이 대화를 하다 보니 어느새 점심시간이 되어 배가 고파졌다. 이런 와중에도 배가 고파 오는 걸 보면 인간의 기본적인 욕구는 어쩔 수 없나보다. 꼬르륵 소리가 집안을 가득 채우는 바람에 소현씨도 듣고 웃음을 터뜨렸다. 배고프면 말하지 그랬냐며 주방 쪽을 향해 일어나는 그녀를 잡아 세웠다.

“잠시 만요. 지금 집에 먹을 게 없어서. 시켜 먹어야 해요.”
“그럴까요? 그럼? 장은 나중에 봐 오면 되니까.”
“뭐 드실래요?”
“저는 괜찮아요. 귀신이라 음식이 필요 없거든요.”
“그렇군요. 그럼 일단 저 혼자 먹을게요.”
“네. 저는 신경 쓰지 마세요.”

 신경 쓰지 말라고 해서 안 써지는 건 아니지만. 괜찮다면 괜찮은 거겠지. 늘 그렇듯이 전화번호부 최근 통화 목록 상위권에 있는 중국집에 전화를 걸어 간단하게 짜장면 한 그릇을 주문했다. 주말이라 배달에 시간이 좀 걸린다니 대화도 하면서 시간을 때워 보자.

“그럼 일단 소원 열 가지가 어떤 건지 여쭤 봐도 될까요?”
“맞다! 그게 제일 중요하죠, 참. 잠시 만요, 종이에 써서 드릴게요.”

소현씨는 즐거운 하루를 보낸 뒤 일기를 쓰는 어린아이처럼 신나서 목록을 써 내려 가기 시작했다. 가만히 앉아서 기다리기는 심심해 몰래 훔쳐보려 했지만 그때마다 빠르게 눈치 채고 등을 돌리는 바람에 목록이 완전히 작성 될 때까지 얌전히 기다릴 수밖에 없었다. 미리 보나 완성 되고 보나 똑같을 텐데. 진지하게 쓰고 있는 모습이 귀여워 보여서 기다리는 시간이 길게 느껴지지는 않았다. 몇 분이라고 할 것도 없는 짧은 시간이 지나고 필기를 마친 소현씨가 "완성!"이라며 자리에서 박차고 일어났다. 열 개라는 많지도 적지도 않은 항목들을 위해 얼마나 고민하고 그에 대한 기대감을 가지고 있는지 알 수 있었다. 아직 확인은 못했지만 나도 최선을 다해 그녀의 소원을 이루어주겠다 마음먹었다. 커튼 사이로 들어온 햇빛이 소현씨 손 안의 종이 위로 안착했다. 주인공을 비추는 무대 위의 조명처럼, 새하얀 손과 그 사이로 조금씩 보이는 글자들을 강조해줬다.

"막상 보여 드리려니까 부끄럽긴 한데 일단 봐주세요."

라며 수줍게 목록을 건넨 뒤 소현씨는 양손으로 얼굴을 가리고 뒤로 돌아 버렸다. 활발한 성격인 것 같으면서 동시에 부끄러움이 많은 정말 알기 어려운 성격의 소유자다. 이걸 소리 내서 읽으면 민망해 할 테니 혼자서 중얼 거리듯이 읽어 내려갔다. '진소현의 남자친구와 하고 싶은 일 열 가지'라는 제목부터 티 없이 맑은 그녀의 순수함이 느껴졌다. 어른이 되어서도 그 마음만은 어리게 유지하고 있었구나. 진지하게 적은 목록인

만큼 나도 진지하게 읽어 나갔다. 첫 번째 같이 산책하기. 처음부터 소소한 소원에 미소가 지어지는 동시에 마음 깊이 안심이 되었다. 이런 소원들이라면 이뤄 주는데 어려움은 없을 테니까. 두 번째 커플티 만들기, 세 번째 바다 놀러 가기. 네 번째 놀이공원 가기. 다섯 번째 같이 요리하기. 여섯 번째 노래방 가기. 일곱 번째 함께 등산하기. 여덟 번째 술 한 잔 하기. 아홉 번째 같이 보름달 구경하기. 평범한 커플이라면 누구나 해봤을 법한, 어쩌면 그것보다 더욱 소소한 소원들이었다. 심한 걸 시키지 않을까 걱정했던 내가 부끄러워질 정도로 순수한 소원들이었다. 그런데 열 번째가 조금 이상했다. 비밀? 뭔데 비밀인거지? 의심이 들기 시작하니 점점 이상하게 느껴졌다. 이거 설마.......

"소현씨! 마지막 소원이 비밀인데 이거 뭐에요?"
"비밀이 비밀이죠!"

 그녀는 여전히 부끄러운지 고개도 돌리지 않고 대답했다.

"아무튼 그게 제일 중요한 거 에요!"
"뭔데 그래요? 설마 결혼하기 이런 건 아니죠? 그런 거라면 곤란해요!"

 이제야 소현씨는 등을 돌려 이쪽을 보며 말하기 시작했다. 오해 받는 건 사양한다는 단호한 표정이었다.

"지호씨가 저랑 결혼하시려면 영혼결혼식을 치러야 하는데, 그러려면 저희가 합장을 해야 하니까 그건 좀."

"합장이요? 지금 무슨 위험한 말을 하는 거 에요?"

"아무튼 그런 건 아니라니까요! 지호씨에게 해가 되는 일은 전혀 없을 테니 걱정하지 마세요! 맹세할게요."

내게 다가와 양손을 잡으며 말하는 걸 보니 정말로 나쁜 의도는 없다는 것을 알 수 있었다. 어제 봤던 생기 없는 눈빛이 아닌 색을 입힌 유리구슬처럼 빛나는 눈동자가 그녀의 결백을 주장하고 있었다. 이런 눈동자는 거짓말을 하지 않는다. 알겠다고 대답하려는 순간 노크소리가 들렸다. 오래 걸린다더니 생각보다 배달이 일찍 도착했다. 소현씨는 내 손을 놔 주었고 나는 자리에서 일어나 문을 열고 짜장면을 받았다. 달콤한 짜장면 냄새를 맡으니 배가 다시 꼬르륵 거렸고, 남은 이야기는 식후에 하자고 서로 암묵적으로 합의했다. 배가 고파서 먹긴 하는데 내가 어제 술을 거하게 마셨다는 사실을 잠시 잊고 있었다. 아직 회복이 덜 된 위장은 느끼한 짜장면을 받아들이길 거부했고 차라리 동네 시장에 가서 해장국이나 먹을 걸 하는 후회가 밀려왔다. 어쩔 수 없이 꾸역꾸역 밀어 넣고 있으니 소현씨는 말없이 나를 보고만 있었다. 어제까지만 해도, 물론 보이지 않았을 뿐 어제도 소현씨가 같이 있었다지만, 혼자서 지내던 집에 다른 누군가가 들어와 함께하는 것은 처음에는 어색하고 낯설면서도 함께 밥을 먹고 대화를 나눌 수 있다는 사실에 설명하기 어려운 따스함이 느껴졌다. 1분 1초가 새롭고 그 순간순간이 지날 때 마다 그녀에게 익숙해져 가고 있었다.

식사를 마치고 쓰레기를 분리수거 한 뒤 버릇처럼 방바닥에 누웠다가 소현씨가 함께 있다는 사실을 인지하고 다시 일어나 앉았다. 괜스레 밀려오는 민망함에 뒷통수를 긁적였다. 아무리 내 집이라지만 너무 편하게 있으면 안 되지.

"이게 버릇이라 죄송해요."
"아뇨. 뭘 그런 걸로 사과하고 그러세요."

이내 다시 대화가 없어지고 어색함에 마음속으로 몸부림을 쳤다. 잠깐씩 분위기가 좋아서 거기에 취해 잊고 있었지만 나는 여성과 대화를 해본 적이 거의 없다. 가족 중에도 이성이라 곤 엄마뿐이고, 동성친구들하고도 대화를 쉽게 하지 못하는 소심한 성격 때문에 친구 수도 적을뿐더러 당연히 이성 친구는 없었다. 게다가 말하기보다 미소 짓고 있는 시간이 더 긴 소현씨와의 대화는 더더욱 어려웠다. 뭘 할지 몰라 눈동자를 이리저리 굴리다가 소현씨가 작성해 놓은 리스트가 눈에 들어와 그걸로 대화 주제를 정했다.

"날씨도 좋은데 산책하러 갈까요?"
"네! 저 가보고 싶은 곳 있는데."
"어디 가보고 싶으세요?"
"한강이면 아무데나 상관없어요."

시청역을 가기 위해 수 없이 탄 2호선 덕분에 당산역과 합정 역 사이는 한강을 건넌다는 사실을 알고 있었고 거기에 뭐가 있는지는 자세히 모르지만 당산역으로 가보는 게 어떻겠냐는 제안에 그녀는 박수를 치며 좋다고 했다. 이렇게 사소한 일에도 행복해 하는 그녀가 어쩌다가 그런 선택을 했는지 궁금해졌지만 묻지 않기로 했다. 언젠가 그녀가 마음을 열어 준다면 알게 될 것이다.

"그런데 지호씨 아직 안 씻지 않았어요?"
"아 그러네요. 씻고 나올게요."

일단 샤워는 해야 할 것 같아서 화장실에 들어와 옷을 벗었지만 문 밖에 누군가 있다는 사실이 신경 쓰여 물 틀기가 머뭇거려졌다. 괜히 문에 귀를 대고 밖의 소리를 들어 보다가 조용한 것을 확인하고 물을 틀고. 씻는 중에도 계속해서 문을 보게 된다. 두 명이 함께 지낸다는 건 쉬운 일이 아니구나. 모든 행동에 조심스러워지고 사소한 배려들을 항상 잊지 말아야 한다. 그래서 평소보다 더 꼼꼼하게 비듬 하나 눈곱 하나 놓칠까 몇 번이나 거울을 들여다보고 물로 얼굴을 비볐는지 모르겠다. 면도까지 마친 후 만족스럽게 화장실 문을 열고 나왔는데 소현씨와 눈이 마주치자마자 그녀가 굳어 버렸다.

"지호씨 옷."
"네? 옷이 왜요?"

그 순간 휑한 느낌이 들어 아래를 내려다보니 윗옷을 입지 않고 있었다. 다행히 바지는 입고 있었지만 씻은 후에 그대로 나오는 것이 버릇이 돼 셔츠를 걸치지 않고 나왔다. "죄송해요!"라고 외친 뒤 다시 문을 닫고 옷을 제대로 입고 나왔다. 첫 날부터 못 볼꼴을 너무 많이 보여주는 것 같은데....... 죄스러운 기분까지 들기 시작한다.

"괜찮아요. 자세히 못 봤어요."
"다행인 건가요?......"

 서로 눈도 못 마주치고 다시 어색해졌다. 이게 대체 뭐람. 마음속에서 머리털을 쥐어뜯으며 자신의 한심함을 자책하다가 어제 입었던 옷에서 나는 땀 냄새와 술 냄새에 환복을 해야겠다고 느꼈다.

"저 소현씨 저 옷을 갈아입어야 할 것 같은데."
"그래요? 그럼 저 잠깐 나가 있을게요!"

 그녀는 불에 덴 것처럼 자리에서 뛰어 일어나 그대로 밖으로 나가버렸다. 문을 열지 않고 통과해버려서 조금 무섭긴 했지만 이 광경도 익숙해져야 하니까. 아무도 듣지 않을 한 숨으로 신세한탄을 가볍게 하고 외출복장으로 갈아입었다. 일년 중 가장 더운 여름의 어느날 새로운 일상이 시작되려고 하고 있었다. 첫 만남때부터 지금까지 나에겐 너무나도 먼 그녀와의 일상이.

## 2. 발빠짐에 주의 바랍니다

환복을 마치고 문을 여니 강렬한 햇볕이 내리 쬐어서 반사적으로 손바닥을 들어 눈을 가렸다. 조금 덥긴 했지만 참 좋은 날씨다. 고개를 돌려 보니 왼편에 소현씨가 서 있었다. 어느새 한결 편해진 표정으로 외출할 생각에 들떠 있어 보였다. "그럼 갈까요?"라고 말하며 내가 앞장서 계단을 내려가기 시작하자 뒤에서 그녀도 뒤따라 내려왔다. 이 계단을 누군가와 함께 내려간 적이 있었던가. 발걸음도 덩달아 가벼워 지고 따가운 햇살도 지금은 축복으로 다가온다. 어제는 힘겹게 올랐던 언덕을 즐겁게 내려와 역에 도착했다. 사람이 많이 다니는 시간대는 아니었기에 소현씨와 함께 천천히 역 계단을 내려갔다. 반쯤 내려갔을까. 갑자기 뒤에서 소현씨가 어깨를 붙잡아 세웠다.

"지호씨 잠시 만요."

양팔로 자신의 어깨를 감싸고 멈춰선 소현씨는 어딘가 불편해 보였다. 거친 숨을 몰아쉬고 혼자 남은 강아지처럼 자꾸 주위를 살폈다. 그러다가 그대로 뒤로 돌아 다시 계단 위로 올라가기 시작했다. 나도 그녀를 뒤따라 올라갔다. 밖으로 나오자 다시 햇살이 우리를 비췄고 그 밝은 빛 아래서 그녀의 표정은 한결 평안해져 있었다. 몇 번 숨 고르기를 한 뒤 그녀가 나를 올려다보며 말했다.

"죄송해요. 괜찮을 줄 알았는데."

"뭐가요?"

"지하철 타는 거요....... 제가 지하철에서 죽었다 보니 거부 반응이 일어나네요. 알레르기 같은 느낌이라고 생각하시면 돼요."

"아....... 그럼 버스 타고 갈까요?"

"아뇨 적응하면 괜찮아 질 거 에요. 익숙해져야죠. 칼에 베였다고 해서 다신 칼을 안 쓰고 살 것도 아니고. 대신에 손 좀 잡아 주실 수 있나요?"

"손이요? 네? 네. 잡으면 되죠."

　그렇게 난생 처음 잡아본 이성의 손은 작고 부드럽고 하지만 동시에 커다란 손수건처럼 내 손을 감싸주는 그런 것이었다. 체온이 없다는 것만 제외하면 굉장히 좋은 느낌이었다. 신체의 극히 일부. 작은 접촉이지만 다가오는 의미는 컸다. 두근거림. 그것도 기분 좋은 두근거림이었다. 왠지 소현씨의 눈을 마주치기 힘들어 앞만 보고 내려갔다. 슬쩍 옆을 보긴 했지만 그녀도 나와 마찬가지인지 계단 아래만 보고 내려가고 있다. 그래도 입가에 미소가 살짝 띈 것을 보니 손을 맞잡은 게 효과는 있나 보다. 승강장에 도착해도 사람이 많지 않았다. 듬성듬성 보이는 사람들은 스크린도어 앞에 두세 명 줄을 서 있거나 벤치에 앉아서 핸드폰을 보는 사람들, 서로 마주보고 선 연인들도 다들 각자의 세상에 빠져 있다.

　옆 사람은 존재하지 않는 듯 신경 쓰지 않고 자신의 할 일에

몰두한 사람들. 이곳의 풍경은 언제나 한결 같다. 나도 지금은 좀 더 내 세상에 집중해 볼까. 소현씨와 마주보니 그녀도 미소로 화답한다. 나 혼자만 존재하던 나의 세상이 조금 넓혀졌다.

몇 분 지나니 요란한 소리를 내며 전철이 들어온다. 문이 열리고 우리 앞에 서 있던 사람들은 먼저 빈자리를 찾아 비집고 들어가고 나도 뒤따라 들어가려니 소현씨가 나를 잡아 멈춰 세웠다. 그 자리에 멈춰 서서 심호흡을 하는 그녀가 걱정되기 시작했다.

"괜찮아요? 지금에라도 올라가서 버스 타고 갈까요?"
"아니에요. 익숙해져야죠. 다음 열차 들어오면 그거 타도록 해요."

다음 전철까지는 시간이 걸려서 일단 벤치에 앉아서 기다리기로 했다. 가만히 앉아서 기다리려니 지루해서 소현씨에 대한 몇 가지 질문을 생각해 냈다.

"소현씨 혹시 나이는 어떻게 되시나요?"
"숙녀의 나이를 묻다니 너무하네요."
"죄송해요."
"장난이에요. 저는 스물아홉 살이에요. 보기보다 많죠?"

사실이었다. 실제 나이보다 세 살에서 네 살은 어려 보이는 얼굴에 키 또한 작은 편이라 당연히 나보다 어릴 거라고 생각하고 있었는데.

"저 보다 한 살 누나신데. 말 편하게 하셔도 괜찮아요."
"괜찮아요. 지금 이게 편해요."
"그리고 그 옷 있잖아요. 안 갈아입으셔도 괜찮은 거 에요?"
"음, 귀신은 죽게 되면 그 순간에 입고 있는 옷을 계속해서 입고 있게 된다고 하더라고요. 저는 그 순간에 입었던 옷이 이 옷이었고 이제는 제 피부 같은 거죠."
"그렇군요. 예뻐요. 그 옷."
"고마워요."

어떤 일이 있었기에 저렇게 아름다운 드레스를 입고 죽어야 했는지에 대해서는 묻지 않기로 했다. 지금 같은 분위기에서 할 질문은 아니라고 직감이 말해 주었다. 잠시 뒤 다시 전철이 들어왔고 소현씨는 숨을 크게 들이 쉬며 준비가 됐다고 했다. 나는 그녀의 손을 잡을 때 좀 더 힘을 주어 잡아 주었고 둘이 동시에 발을 내딛어 안으로 들어갔다. 직전에 보낸 열차보다는 사람이 적어 공간에 여유가 있었다. 우리 뒤로 문이 닫히니 소현씨가 그제야 참았던 숨을 내쉬었다.

"근데 소현씨 귀신은 숨 안 쉬어도 되지 않아요?"
"아. 그런 건 그냥 넘어가요."

하지만 전철이 움직이기 시작하자 다시 소현씨가 떨기 시작했다. 눈밭에 내던져진 것처럼 자신을 감싼 채로 떨다가 내 품으로 들어와 안겼다. 내 가슴에 얼굴을 묻고 숨을 빠르게 마시고 뱉는 그녀를 팔을 들어 감싸 안았다. 그렇게 하니 진정이 됐는지 고개를 들어 나를 올려 보며 고맙다고 했다. 그녀가 나를 강하게 안은 것도 아닌데 가슴이 답답했다. 눈 마주치기가 어려워 고개를 드는 순간 전철이 지상으로 빠져 나왔다. 창문 너머로 건물들이 스쳐 지나가고 그 위를 채운 푸른 하늘은 오늘 해가지지 않을 듯 찬란하게 빛나고 있었다. 나무들을 흔들고 지나가는 바람 덕에 바깥 날씨가 어떤지 대략 짐작할 수 있었다. 산책하기 좋은 날씨라고. 소현씨가 내 팔 안에서 빙글 돌아 창밖을 보며 감탄했다. 자연스럽게 백허그를 하는 자세가 되었고 소현씨의 어깨를 감싼 내 두 팔위로 그녀도 양 손을 올리고 있었다. 항상 바라만 보고 상상하던 일들이 현실이 되었다. 소현씨를 조금 더 가까이 끌어안았다. 우리 둘의 몸은 완전히 밀착 되었고 다음 역에서 갑자기 많은 사람들이 타는 바람에 불편하더라도 이 상태로 있을 수밖에 없었다.

"지호씨 안 불편해요?"
"저는 괜찮아요. 지옥철에는 익숙하니까. 소현씨는 이제 괜찮아요?"
"네 지호씨가 꼭 껴안고 있어줘서 괜찮아졌어요."
"다행이네요. 거의 다 왔으니까 조금만 더 참아요."

 그렇게 사람들이 타고 내리기를 반복하다 목적지에 도착해서 우리도 내릴 수 있었다. 역 밖으로 나오니 소현씨도 다시 활기찬 모습으로 돌아갔다.

"그런데 어디로 가야하죠?"
"그러게요 저도 여기 내려 보는 건 처음이라."

막무가내로 당산역으로 가면 한강에서 가깝겠지 라고 생각한 것이 오산이었다. 큰 네거리를 중심으로 상당한 번화가가 형성된 지역이라 어느 방향으로 가야 하는지 갈피를 잡지 못했다. 분명 여기서 먼 거리는 아닐 텐데. 제자리에서 사방을 살펴보다가 합정역 방향의 이정표를 발견하고 그쪽으로 발걸음을 옮겼다. 두 역 사이에는 강을 건너는 구간이 있으니 이쪽 방향으로 가면 갈 수 있을 거다. 다시 소현씨의 손을 잡고 출발했다. 가볍게 불어오는 바람에 마음이 들떴다. 하지만 무작정 걷다 보니 가까운 거리가 아니라는 것을 깨달았다. 소현씨는 더위를 느끼지 못해서 괜찮아 보였지만 나는 땀을 너무 많이 흘려 탈수 증세가 올 것만 같았다. 그래서 겸사겸사 길도 물어 볼 겸 편의점으로 들어갔다. 시원한 에어컨 바람을 맞으니 잃었던 기력이 회복 되고 냉장고에서 꺼낸 물은 아직 마시지도 않았는데 목을 축인 기분을 느끼게 해준다. 땀을 많이 흘리긴 했구나.

"오백 원입니다."
"네 여기요. 저기 혹시 이 근처에 한강 공원이 있나요?"
"이 길 끝에서 우회전 하셔서 조금만 가시면 밑으로 내려가는 길이 있어요. 거기로 가시면 돼요."
"알려주셔서 감사합니다."

밖으로 나오니 기다리고 있던 소현씨가 옆으로 와 붙었다. 팔 짱을 끼는데 이럴 땐 그녀에게 체온이 없다는 게 감사하게 느껴졌다. 보통 사람이라면 불쾌하거나 더웠을 텐데 도리어 시원하기까지 하다.

"물어보니까 여기서 금방이래요."
"다행이다. 강가로 내려가면 조금 더 시원할거에요. 얼른 가요."

이번엔 소현씨가 신나서 나를 잡고 이끌기 시작했다. 편의점 알바생의 말대로 조금 걸으니 한강이 보였고 그걸 본 소현씨는 뛰기 시작했다. 날 두고 뛰어가는 뒷모습을 바라보며 정말 큰 기대를 하고 있었다는게 느껴졌다. 누군가에게는 평범한 일 상이. 아무렇지 않게 지하철을 타고 이 근처에 내려서 혼자 혹은 친구, 가족, 연인과 걸으며 대화를 나누고 맛있는 음식을 사 먹고 시간을 공유하는 것이, 어떤 누군가에게는 평범하지 않은 것이었다. 그 누군가에게는 지금껏 경험해 보지 못한, 소망이었다. 햇빛이 일렁이는 강물 위로 반사 되어 흩어진 거울 조각들처럼 눈부셨다. 그 위로 크루즈 한 대가 유유히 떠가고 강변 가까이에는 오리들이 떼를 지어 수영을 즐기고 있었다. 바람이 잔디밭을 스치며 그 위로 주인을 따라 산책 나온 강아지들이 뛰어 다니는 평범한 한강의 오후였다. 나도 대학교에 다닐 때는 친구들과 함께 소풍을 즐기고 했었는데, 몇 년 만에 돌아와 본 이 공간이 변한건지 그대로인지 조차 모르겠다. 물론 내 기억이 맞으면 이쪽은 처음이지만.

"되게 평화롭다 그쵸?"

"그러게요. 나오길 잘했다. 바람도 좋고, 햇살도 좋고, 무엇보다 지나가는 사람들 표정이 보기 좋고, 눈으로 보이는 것, 귀로 들리는 것 외에는 아무것도 느껴지지 않지만, 눈으로만 봐도 충분히 마음이 편안해져요."

소현씨. 시각과 청각 외에 다른 감각은 없구나....... 그녀는 나와 손을 잡을 때도 손을 잡았다는 사실만 알 뿐 그 느낌을 알지 못한다. 겉으로는 미소를 지으며 밝은 목소리로 이런 말을 하지만 그 웃음 뒤에 슬픔이 보였다. 뭐라 대답할 말이 없어서 화제를 돌리기로 했다.

"그러고 보니까. 여기 섬도 있을 텐데."

"섬이요?"

"네. 그 이름이 뭐더라....... 잠시 만요. 검색 좀 해보고요. 아! 선유도네 선유도. 안에 공원도 있다는데 가볼까요?"

"한강 안에 섬이라니 좋아요! 신기해!"

"이쪽으로 계속 가면 되는 것 같은데 가볼까요?"

"그럼 달리기 시합해요!"

그리곤 신호도 주지 않고 소현씨가 먼저 달리기 시작했다. "반칙이에요!"라고 외치고 따라 뛰기 시작했지만, 소현씨는 숨 쉴 필요도 없기 때문에 쉬지 않고 달리니 격차가 점점 벌어지기만 했다. 어느 정도 뛰다 보니 "제가 졌어요."라는 말이 저절로 나오며 거친 숨을 몰아쉬고 있는데 소현씨는 어디까지 뛰어간 건지 보이지도 않았다. 신나서 뛰어 가다가 내가 안 보이는 걸 눈치 채고 멈춰 서 있어주면 좋겠는데. 일단 천천히 따라 걸어가 보자. 나도 이런 즐거움은 오랜만이니까. 조금 걸으니 검은 드레스를 입은 소현씨는 금방 눈에 띄었다. 잔디밭에 핀 한 송이 흑장미처럼. 이질적이면 쉽게 드러난다. 홀로 벤치에 앉아 발끝을 바라보며 멍하니 있던 그녀 앞으로 가서 섰다.

"그렇게 먼저 가 버리면 어떡해요."
"너무 들떠 버렸네요. 헤헤. 우리 손잡고 가요."
"그래요. 먼저 가지 마요."

 손을 맞잡고 걷다보니 한강 가운데 있는 섬이라기엔 높고 큰 선유도가 보였다. 다리로 연결 되어 있었지만 섬 자체 높이가 있다 보니 다시 계단을 올라 다리를 건너야 했다. 벌써부터 후들 거리는 두 다리 때문에 평소 운동을 하지 않은 나 자신이 원망스러워졌다. 앞으로 소현씨랑 같이 다니려면 이렇게 움직이는 날이 많을 텐데. 매일 저녁 걷기 운동이라도 해야 하나. 마지막 층계를 밟음과 동시에 두 손으로 양쪽 무릎을 붙잡고 심호흡을 했다. 이러다가 소현씨와 나란히 귀신이 되어 함께 승천할 지도 모르겠다. 숨을 고르고 고개를 들어 보니 나무로 만든 다리가 섬까지 이어져 있었다. 견우와 직녀의 오작교를 연상 시키는 왜인지 아련해 보이는 다리였다.

"우리 여기서 견우와 직녀 놀이 할래요?"

소현씨도 같은 생각을 했는지 엉뚱한 말을 하긴 했지만 체력의 한계에 도전하고 있는 내 얼굴을 보더니 말없이 걷기 시작했다. 오후 해가 기울면서 강변에 있는 송전탑의 그림자가 다리 위로 넘어왔다. 상당한 길이의 다리를 건너서 섬으로 들어왔지만 섬 위에서 바라본 맞은 편 강변은 걸어 온 것보다 거리가 있었고 덕분에 한강이 얼마나 넓은지 느낄 수 있었다. 강변 너머 도로 위를 달리는 자동차들 그리고 그 뒤로 높이 솟은 아파트와 빌딩들. 내가 얼마나 작은 세상에 살고 있는지 거대한 세상으로부터 나도 모르게 고개를 돌리고 말았다. 오른쪽으로 고개를 돌리면 소현씨가 서 있었고 다시 정면을 보면 콘크리트 벽들을 개선해 잘 가꿔 놓은 화단과 숲들이 보였다. 그냥 두었다면 칙칙한 시멘트 덩어리로 남아 사람들에게 잊혀졌을 텐데. 적절한 사후관리를 거치니 많은 사람들이 찾아와 쉼을 누리는 공원이 되었다. 사람이든 공간이든 잊혀 지지 않으려면 노력이 불가피 하다.

잠시 우울한 생각에 빠질 뻔 했지만, 발레리나가 되어 빙글빙글 돌다가 모델이 되어 벽을 짚고 포즈를 잡는 소현씨를 보며 실소가 튀어 나왔다. 그 모습이 귀엽기도 하고 재미있기도 해서 사진을 찍어 주려 핸드폰을 꺼냈다. 하지만 왜인지 사진에는 배경만 나오고 소현씨는 나오지 않았다. 내가 사진을 찍는 모습을 보더니 소현씨가 어린아이처럼 달려와 말했다.

"어차피 저는 안 찍히죠?"
"그러게요....... 예뻐서 찍어 드리고 싶었는데."

"심령사진은 진짜, 진짜, 진짜 운이 좋아야 찍는 거 에요. 귀신이 있다고 심령사진이 찍히면 어디 가서 찍든 심령사진이죠."

"그 말인 즉 귀신들이 모든 곳에 있다는 건데 그것도 나름 소름 돋네요."

"그럼요 여기도 많은데요 뭐. 제 사진도 천 장 정도 찍다 보면 한 장 정도는 나오지 않을까요?"

그녀는 웃으며 말했지만 내 주변에 귀신들이 득실거린다는 사실을 알고 오싹해져서 어색한 웃음을 지으며 핸드폰을 주머니에 집어넣었다. 천 장 찍어서 소현씨가 찍히면 다행이지만 엉뚱한 귀신이 찍히면 오늘 밤 잠은 다 잤다고 보면 된다. 아름다운 소현씨의 모습은 내 눈에만 담아 둬야겠다. 섬의 넓이가 생각보다 넓었고 산책로도 많아서 걷다보니 해가 지기 시작했다. 마지막으로 아까 봐 두었던 정자에 앉아 일몰을 감상하고 섬에서 나가기로 했다. 나는 정자에 앉자마자 아픈 다리를 주물렀고 소현씨는 노을을 조금이라도 가까이에서 보려고 난간으로 다가가 붙어 앉았다. 다리 마사지를 끝낼 때쯤 하늘이 주황빛으로 물들었고 송전탑 위로 걸친 전선들이 오선지가 되고 그 위에 앉은 새들이 음표가 되어 저녁 하늘을 연주하고 있었다. 밖에 나오길 참 잘했다. 완전히 어두워지면 길 찾기가 힘들 테니 해가 넘어가기 시작하는 모습만 보고 자리에서 일어나 움직였다. 선유도의 반대편 입구로 나오자 바로 대교 위였고 여기서부터 당산역을 찾아 가는 건 그다지 어렵지 않을 것 같았다. 어두워지기 시작한 도로를 밝힌 자동차 불빛들이 줄지어 향하는 방향으로 가기만 하면 목적지가 있을 텐데, 왜 자꾸 고개가 다리 쪽으로 돌아가는 건지.

 이유 없이 기분이 우울해진다. 내가 조금 전 한강 너머를 바라보며 느꼈던 감정. 높이선 아파트에 사는 사람들. 그런 사람들과 자신을 비교하며 오는 열등감. 다시 또 언덕 위 좁은 옥탑 방으로 돌아가야 하는 현실. 지금 집으로 돌아가는 사람들 중엔 퇴근길에 오른 사람들도 있을 것이다. 그에 반해 나는 일 하나 못 구하는 백수. 나에 대한 모든 부정적인 수식어들이 정수리에서부터 나를 짓눌렀다. 한강 다리의 난간 쪽으로 한 발짝 더 다가간다. 저 난간을 넘어 여기서 몸을 던지면, 저 차가운 강물에 휩쓸려 가면, 나라는 사람이 가진 모든 고난과 걱정은 사라진다. 편해 질 수 있다. 죽으면 된다.

"지호씨 정신 차려요!"

 소현씨가 내 손을 잡고 이끌었지만 그 순간에도 나도 모르게 난간을 향해 한 발 더 떼고 있었다. 김이 서린 창문처럼 뿌옇던 정신이 조금은 돌아왔다. 하지만 동시에 정신없이 끌려가고 있어서 상황 설명을 듣고 싶었지만 소현씨도 무언가에 쫓기듯 계속해서 "선배들."이라는 단어를 중얼 거리며 앞만 보고 걷고 있었다. 계속해서 그렇게 끌려가며 걷다가 역에 도착해서야 소현씨가 나를 바라보며 물었다.

"이제 괜찮아요?"

"그런 것 같아요."
"다행이다. 자세한 설명은 집에 가서 할게요. 얼른 돌아가요."

운이 좋게도 지하철 안에 빈자리가 하나 있었고 피곤한 몸이 잠깐이라도 쉴 수 있었다. 소현씨는 도착하면 자기가 깨워 줄 테니 나에게 잠시 잠을 청하라 말했고, 나는 여전히 복잡한 마음을 잠재우기 위해 눈을 감았다. 전철의 덜컹거림이 오늘따라 흔들 요람처럼 편안하게 느껴졌다. 30분 정도 지나 소현씨가 내 어깨를 가볍게 흔들며 깨웠고 나는 머리가 조금 아팠지만 자리에서 일어나 내릴 준비를 했다. 길고 긴 하루가 끝나간다. 이젠 내가 체력이 떨어진 걸 알아챈 소현씨가 언덕을 오를 때는 일부러 천천히 걸어가 줘서 고마웠다. 그런 노력에도 불구하고 결국 집에 도착하자마자 바닥에 몸을 붙여 버렸지만.

"근데 소현씨 아까 그건 뭐에요?"
"아 선배들이요?"
"네. 되게 불안해 보이시던데."
"지호씨 아까 거기 다리 위에서 갑자기 우울해지고 그랬었죠?"
"네...... 그래서 저도 모르게 그쪽으로 끌려 가 듯이......."
"원래 대부분의 귀신은 자신이 죽은 자리에서 벗어나지 못해요. 지박령이라고 하죠. 특히 자살한 경우에는 그 자리에 묶이는 경우가 대다수에요. 그러니까 그 선배들. 저보다 먼저 죽었기 때문에 선배라고 하는데."
"죽음에도 기수가 있군요."

"하하. 아무튼. 그렇게 죽은 귀신들은 다른 누군가를 자꾸 끌어 들이려 하는 성격이 있어서, 흔히 말하는 '자살명소'처럼 사람들이 많이 죽은 곳에서 또 많은 사람들이 죽는 거 에요."

가볍지 않은 이야기에 가슴 한 가운데가 막힌 듯 답답해졌다. 단순히 끌어 당겨져서 그런 것이 아니라, 그 사람들도 나처럼 힘든 이유가 있었을 것이다. 아무도 모르게 쌓아둔 그런 마음을 누군가 찔러 버리니 펑, 하고 풍선 터지듯 터져 버리는 거다. 내 앞에 있는 소현씨도 어떤 이유로.......

"지호씨. 큰일 날 뻔 했는데 다행이에요."
"고마워요. 덕분에."
소현씨가 나에게 다가와 나를 감싸 안았다. 그녀의 팔이 나의 어깨를 두르고 입술이 거의 귀에 닿을락 해 나도 모르게 경직이 됐다. 하지만 더 이상 다가오지 않았고 그대로 잠시 멈춰있었다. 소현씨의 몸이 가볍게 떨리는 게 느껴졌고 이내 그녀가 내 귀에 속삭였다.

"죽지 마요. 무슨 일이 있어도."

내 대답을 듣기도 전에 그녀가 일어나 식탁 앞으로 갔다. 아까 작성해 두었던 목록 위로 펜을 들더니 종이에 체크 표시를 하고 나에게 보여주었다.

"첫 번째 달성!"

그녀가 해맑게 웃었다.

　어제의 피로와 오늘의 정신없음이 만나 평소보다 이른 시간에 잠이 들었다. 내 주변에도 항상 귀신들이 많다는 이야기를 들었기에 꿈자리가 사나웠지만 이상하게 잠에서 깨지는 않고 그대로 아침을 맞이했다. 꿈은 무서웠지만 몸은 따뜻했다. 그런 오묘한 기분에 눈을 떠 보니 내 품 안에 소현씨가 안겨 있었다. 익숙하지 않은 광경에 나도 모르게 몸이 뒤로 튕겨 나갔고 그런 내 움직임에 소현씨도 눈을 떴다.

"일어났어요?"
"소현씨도 저 때문에 깬 거 에요?"
"아뇨. 귀신은 잠을 안자는 걸요. 그래도 지호씨가 밤새 껴안고 있어주신 덕분에 엄청 설레었단 말이죠."

　민망함에 대답 대신에 고개를 돌려 버렸다. 안 그래도 부스스한 모습인데 이런 상태로 마주 보고 이야기 하는 것도 부끄럽다. 우선 씻고 오던가 해야지. 많이 움직인 다음 날이라 그런지 몸이 찌뿌둥했다. 화장실에 들어가 거울을 보니 살아 있다는 걸 느꼈다. 지금까지는 숨을 쉬고 밥을 먹고 생활을 하지만 그곳에 의미는 없었다. 세수를 위해 찬물에 닿는 손가락 끝의 시린 감각까지 모든 감각이 좋았다. 수건으로 머리를 털면서 밖으로 나오니 소현씨가 아침밥을 준비 중이었다. 고소한 된장 냄새가 가득 퍼졌지만 집에 먹을 게 왜 이렇게 없냐며 잔소리가 뒤 따라왔다. 엄마가 집에 왔을 때 느꼈던 기분이 되살아났다. 슬슬 장보러 갈 때가 된 건가. 한가한 월요일 아침. 마트나 가볼까.

"소현씨 밥 먹고 장 보러 갈래요?"
"안 그래도 그 얘기 하려고 했어요! 집에 먹을 게 너무 없잖아요! 된장찌개라고 부르기도 민망하네."
"알았어요. 같이 장보러 가요."
"각오해요. 잔뜩 사올 거니까."

그 순간 서늘한 기운이 뒤통수를 스쳤다. 지금 통장에 돈이 얼마나 남아 있지? 장을 볼 정도는 되는 건가? 최근에 돈 쓸 일이 거의 없어서 통장 잔고 확인도 안했었는데....... 소현씨 몰래 인터넷 뱅킹을 켜서 확인해 봤더니 이틀 치 식비 정도밖에 안 남아 있다. 집에 돈 달라고 한지 얼마 안 된 것 같은데. 밥을 먹다 말고 숟가락을 무겁게 내려놓았다.

"저 소현씨 사실....... 장 볼 돈이 부족해요."
"괜찮아요. 저한테 있어요."
"돈이 어디서 났어요?"
"제가 살아생전에 모아둔 돈이 있죠."
"그걸 제가 쓰기는 죄송한데......."
"같이 쓰는 건데요 뭐. 우리 같이 사는 집세라고 생각해주세요. 어차피 그 돈 쓸 사람도 없고 이제."

밥을 다 먹은 뒤 내가 설거지를 하고 마트로 갔다. 매번 동네

슈퍼에서 먹을 거 한 두 가지 정도만 사러 다니다가 이렇게 대형 마트로 와 보는 것도 나에겐 새로운 경험이다. 카트는 당연히 내가 끌었다. 소현씨가 끌고 갔다간 대형마트의 혼자서 움직이는 쇼핑카트로 미스터리 전문 프로그램에 출연하게 될 테니. 어차피 자기는 무게가 안 나가니 예전부터 해보고 싶었다고 소현씨가 카트 안으로 들어갔다. 마치 배의 선장이라도 된 것처럼 "자 전진이다!" 같은 대사를 하며 어린아이 같은 행동을 했다. 처음에는 그 모습을 보면서 칠칠치 못하다 생각했지만, 뒤에서 곰곰이 생각해보니, 그녀는 다른 사람들의 눈에 보이지 않기 때문에 누구보다 솔직하게 행동할 수 있다는 생각에 부럽다는 마음까지 들었다. 순수하고 싶으면 순수할 수 있는 그런 그녀였다. 어울려 주고 싶었지만 보는 눈이 많아 나는 일단 참기로 했다.

하지만 필요한 물건을 살 때에는 이것저것 비교해 보며 신중하게 고르는 모습은 다시금 엄마를 생각나게 했다. 어릴 때 엄마와 함께 했던 장보기는 지루한 기억으로 남아 있는데, 소현씨와 함께하는 지금은 소꿉놀이처럼 즐겁다. 유치하다, 라는 것이 아니라 즐거운 놀이. 가벼운 농담이 오가긴 했지만 장을 보는 소현씨의 모습은 사뭇 진지했다. 덕분에 많은 걸 사진 않았지만 꽤나 시간이 걸렸다. 언덕을 올라 집으로 돌아가는데도 무겁지 않은 장바구니가 역설적으로 느껴질 만큼 긴 시간이었다. 반대로 소현씨는 만족스러운 듯 입 꼬리가 잔뜩 올라가 있었으니 그걸로 만족한다. 나도 덕분에 식재료가 풍족해졌으니 한동안 집에서 안 나가도 되겠지. 라는 기대는 얼마 못 가

깨지고 말았다. 3일 정도는 집에 가만히 있긴 했었는데, 나와 다르게 밖에 나가는 걸 좋아하는 소현씨에게는 긴 시간이었나 보다.

"지호씨. 우리 언제까지 집에만 있어요? 나가서 놀아요."
"나가서 뭐 해요?"
"우리 두 번째 소원하러 가요."
"두 번째가....... 커플티 만들기였죠?"
"네! 재료 사러 갔다 와요!"

소현씨가 내 손을 잡아 내 등을 바닥에서 떼어 냈다. 중력이 얼마나 강하게 작용하는지 몸이 쉽사리 일어나지지 않았다. 겨우겨우 몸을 털고 일어나 소현씨에게 손을 잡혀 밖으로 이끌려 나갔다. 3일 동안 잊고 있었지만 지금은 한 여름이었고 더위가 5톤 트럭처럼 나를 정면으로 쳤다. 강한 충격에 몸이 집 안으로 밀려 들어갔다.

"잠시 만요 너무 더워요. 바지만 좀 반 바지로 갈아입고 가요."
"알았어요. 저는 여기 있을게요."

밖에서 기다리는 소현씨를 위해 바지는 최대한 빨리 갈아입었다. 밖으로 나와 소현씨의 손을 잡았다. 역시 체온이 없어 약간 서늘한 느낌. 들떠서 자꾸만 속도를 높이려 하는 소현씨를 자제 시키며 계단을 내려갔다. 지하철역으로 내려가는 소현씨는 여전히 불안한 모습이 보였지만 익숙해져야 한다며 이를 악 물고 내려갔다. 그럴 때 마다 나와 맞잡은 손에 힘이 들어가는 게 느껴져 조금 안쓰러웠다. 나도 그런 그녀를 따라 손을 꽉 쥐었다.

"오늘은 어디로 가요?"

전철을 기다리며 물었다.

"동대문으로 갈 거 에요!"
"아 흰 티 사야 하니까."
"그리고 그림 재료도 필요하고."

40분 정도 지하철을 타고 동대문역에 도착했다. 큰 호텔도 있고 쇼핑몰이 많은 관광지역이다 보니 사람이 많았고 외국인들도 여럿 보였다. 나는 어디로 가야할지 몰라 두리번 거리기만 했다. 모든 건물이 똑같아 보이고 함부로 발을 옮겼다가는 길을 잃을 것 같아서 발바닥이 붙어버렸다. 그런 내 모습을 소현씨가 보더니, "여기까지 왔는데 옷만 사고 갈 거 에요? 데이트 좀 하고 가요." 라며 걷기 시작했다. 그녀를 따라 지하로 내려가니 미로 같은 지하통로를 지나 공원처럼 보이는 공간에 도착했다. 파라솔이 펼쳐진 벤치 아래에서 커피를 마시는 사람들이 있었고 굴곡진 건물 아래로 생긴 그림자 밑으로 행인들이 오고가고 있었다. 서울에 이런 곳이 있었구나.

"여긴 뭐 하는 곳이에요?"
"우주선이요."

 그렇게 미소 짓고는 소현씨가 앞장서서 걷기 시작했다. 나는
낯선 공간에 감탄하며 그녀의 뒤를 따랐다. 회색빛으로 굴곡진
벽들이 햇빛은 조용히 반사하고 있었다. 그녀의 말대로 우주선
아래에 들어선 것 같았고 외계인이 나에게 인사를 건네는 엉
뚱한 상상도 해봤다. 소현씨는 길을 따라 한 바퀴 크게 돌더니
알록달록한 피아노 앞에 앉았다. 그걸 연주하고 싶은지 건반에
손을 올렸다가. "아."라고 짧게 탄식하며 손을 내려놓았다.

"지호씨 잠깐 제 옆에 앉아 주실래요?"

 나는 말없이 그녀 옆에 앉았고 건반에 손을 얹어 달라고 해
서 시키는 대로 했다. 나는 피아노 연주법을 모르는데 어떻게
하려는 거지? 라는 생각을 한 순간 소현씨가 내 손 위에 자신
의 손을 올려놓았다. 그녀가 내 손가락을 누르면 그에 따라
건반이 눌렸다.

"알겠죠? 지금부터 우리 같이 연주하는 거 에요."

 나는 고개를 끄덕였고 소현씨는 건반을 바라보았다. 연주가
익숙하지 않은 나를 배려하는지 느린 반주의 곡으로 연주를
시작했다. 우리의 포개진 손이 느릿느릿 건반 위를 오갔지만
피아노에서 흘러나오는 곡조는 자장가처럼 잔잔하고 편안한

음악이었다. 소현씨는 "잘 따라 오고 있어요." 라고 나를 칭찬하며 천천히, 천천히 속도를 높였다. 박자가 빨라짐에 따라 내 손이 따라가지 못해 건반을 잘못 누르기도 했지만 여전히 아름다운 음악이었다. 피아노 소리가 우리만의 공간을 만들어 준 것 같았다. 주위의 소리는 들리지 않고 방음부스 안에 있는 것처럼 우리의 연주 소리만 들렸다. 너무 집중한 탓일까? 건반에서 손을 떼고 나서야 우리 주변에 둘러선 구경꾼들이 보였다. 동영상을 찍다가 핸드폰을 내린 사람도 있었고 연주가 끝나자마자 돌아서는 사람들 나를 보며 수근 거리는 외국인들도 있었다. 갑자기 민망해져서 자리에서 일어나니 소현씨도 뒤 따라 왔다.

"피아노 연주해본 소감이 어때요?"
"좋네요."
"그게 다에요?"
"아뇨 되게 좋았는데 저렇게 보는 사람들이 많으니 민망해서요."
"연주해줘서 고마워요."
"연주는 소현씨가 다했는데요 뭐."
"건반은 지호씨가 눌러주셨잖아요. 가끔씩 또 부탁 드려도 될까요?"

나는 대답 대신 미소를 지어 보였다. 그에 그녀도 고개를 끄덕이며 화답했다. 우리는 손을 잡고 좀 더 걸어 다녔다. 비탈길과 계단으로 이루어진 이 공간은 길들이 전부 비슷해 보여

미지의 세계를 탐방하는 것 같은 기분을 느끼게 해주었다. 그러다 보니 어느새 다시 큰 길로 나와 있었고, 소현씨는 이제데이트는 충분한 것 같다며 옷을 사러 가자고 앞장서기 시작했다. 어미 오리의 뒤를 따르는 새끼 오리처럼 엉거주춤 그녀를 따라가니 옷을 파는 상가가 보였다. 어차피 하얀 민무늬 티를 살 거니까 가능한 저렴한 것을 찾는 게 좋을 것 같다는 그녀의 판단이었다. 방금 전 있었던 공간이 꿈처럼 느껴지게 네모반듯하고 오래된 건물 안으로 들어갔다. 비좁은 통로를 중심에 두고 양쪽에서 많은 상인들이 옷을 내어 놓고 팔고 있었고사람들은 조금이라도 더 싸고 자신의 마음에 드는 옷을 찾기위해 어깨를 부딪치며 좁은 길을 비집고 다니고 있었다. 사람이 꽉 찬 지하철에서는 움직일 필요라도 없지만 여기서는 계속해서 움직여야 하니 발을 뗄 엄두가 나지 않았다. 소현씨는사람들 사이를 아무렇지 않게 통과해 지나갔지만 몇 걸음 가지 않아 나를 향해 뒤돌았다. 내가 평범한 인간이라는 사실을그녀는 가끔 잊어버리나 보다. 우리가 목표하던 옷은 몇 걸음가지 않아 쉽게 구할 수 있었다. 무지 흰 티만큼 무난한 옷도없긴 하니까. 소현씨가 입을 목적은 아니라고 해서 그림 그리기에 좋은 사이즈로 두 벌을 샀다.

이제 그림 재료를 살 차례라며 다시 밖으로 나왔다. 가이드마냥 거침이 없는 소현씨의 인도를 따라 걸으니 이번엔 문구점들이 줄지어 들어선 골목이 나왔다. 이 장소가 익숙한 그녀는, 대학 다닐 때 자주 왔었는데 이곳은 변함이 없다며 추억에 빠져 들었고, 오늘 하루 종일 낯선 공간에 들어서는 나는 이곳에 적응하기 바빴다. 한 가게는 문구점 그 옆은 완구점. 번갈아 있는 가게들 덕에 구할 수 있는 상품들도 다양하고 그래서인지 아이를 데리고 온 부부의 모습이 많이 보였다. 나도 잠시 동심으로 돌아가 장난감들을 만지작거리며 어릴 땐 이런 걸 많이 가지고 놀았었는데 라는 생각과 함께 희미한 추억에 발 담가 보았다.

"제가 예전에 다니던 문구점이 이 안쪽에 있을 거 에요."
"여기 자주 왔었나 보네요."
"학교 다닐 땐 사야할 것들이 한 두 개가 아니니까요."

소현씨가 말한 문구점은 여전히 그 자리에 있었고 내 뒤에선 소현씨는 사장님도 안 바뀌시고 그대로 계신다며 반가워했다. 이 사장님은 몇 년 전 단골손님이 지금 찾아 왔다는 사실도 모르실 테지만.

"사장님 여기 직물 물감도 있나요?"

나는 직물 물감이라는 것을 처음 들어봤지만 소현씨가 시키는 대로 필요한 물건을 찾아 사장님을 따라 가게 안쪽으로 들어갔다. 잘 팔리는 물건은 아니라 뒤쪽에 두셨다고 말씀하시며 인상 좋은 미소를 지으시며 내게 물감을 건네 주셨다. 물감의 짝인 붓도 필요한 대로 사고 밖으로 나오니 어느새 해가 넘어가고 있었다. 여름인데도 하루가 짧게 느껴진다. 하늘이 점점 어두워지니 골목길에 가득하던 사람들도 제각기 집으로 돌아가는 듯 했다. 나도 슬슬 집으로 돌아갈까 했는데, 소현씨는 여기까지 나온 김에 가보고 싶은 곳이 있다며 먼저 밥부터 먹자고 했다. 오랜만에 하는 외식. 하지만 메뉴는 간단했다. 뭐니 뭐니 해도 밥이 최고니 콩나물 국밥을 한 그릇 먹고 해가 완전히 진 동대문 거리를 걷기 시작했다.

"콩나물 국밥 오랜만에 먹는데 괜찮네요. 가격도 싸고."
"그죠? 여기 밥 먹기 좋아요."
"그런데 우리 이제 어디 가는 거 에요?"
"경치 좋은 곳이요."

앞만 보며 걸으니 이곳의 지명의 유래이며 명소인 흥인지문이 나왔다. 퇴근길 차량이 가득 찬 복잡한 교차로 옆. 자신을 아래에서 비추는 조명을 받으며 웅장하게 서 있는 모습이 사진으로만 보던 것과는 달라 자꾸 올려다보게 된다. 이걸 보려고 온 건가? 라고 생각했는데 소현씨는 그 옆의 언덕을 가리키며 저기로 올라가자고 한다. 나지막한 언덕 위로, 용이 춤추는 것 같은 성벽이 주황빛 조명을 받으며 자신 옆을 따라 걷는 사람들을 반기고 있었다. 하늘 위로는 조용히 밤이 깔렸지만 그와 마주본 조명들은 은은하게 밤을 밝혀주었다. 언덕의 중턱 쯤 올라 소현씨가 말했다.

"자 이제 뒤돌아 봐요."

빛의 오케스트라가 펼쳐졌다. 오후에 연주했던 피아노

선율처럼, 그리고 그 안에 우리 둘만 존재했던 순간처럼. 밤하늘을 뒤집어 놓은 것처럼 촘촘히 내려앉은 건물들의 불빛 가운데 한껏 조명을 받은 흥인지문이 달이 되어 빛나고 있었다. 그 주위를 은하수처럼 흐르는 자동차들. 눈앞에 펼쳐진 환상 같은 풍경에 다시 나와 소현씨 둘만 이 공간에 존재하는 것 같았다. 주위에 사람이 오고가고 있었지만, 우리만의 고요함에 잠겨 들었다. 바람이 기분 좋게 불어오니, 출처를 알 수 없는 밤 향기가 시원했다. 가슴 깊은 곳 무거운 짐이 또 한 번 덜어지는 느낌이다. 물론 이렇게 좋은 풍경을 본다고 내 삶이 나아지는 것은 아니다. 없던 돈이 생기거나 직업이 생기지 않는다. 마음의 환기. 답답한 속도 가끔은 시원한 바람을 쐴 필요가 있다고 생각한다. 당장 내일의 삶이 나아지지 않더라도. 어쩌면 오늘은 이걸로 충분할지도 모르겠다. 소현씨가 손을 잡아 준다.

"나오니까 좋죠?"
"그 동안 너무 집에만 있었나 봐요 이렇게 좋은 곳도 모르고."
"같이 좋은 곳 자주 가요. 혼자 보단 둘이 가는 게 더 좋잖아요?"
"네. 그래요. 오늘은 이만 들어갈까요?"
"지호씨가 충분히 즐기셨다면 이제 들어가요."

집으로 돌아가는 길. 전철의 빈 자리에 앉자마자 잠이 들었다. 신림역에 도착했을 때 소현씨가 깨워주지 않았다면 잠든 채로 지나쳤을 것이다. 그 짧은 시간 동안 긴 꿈을 꾸었다.

조금은 유치할 수 있지만 소현씨와 함께 은하수 위를 걷는 꿈. 흐르는 별들의 강물에 발을 담그고 빛나는 길 위를 걷는, 기분 좋은 꿈이었다. 집에 도착하니 이미 늦은 시간이었기에 커플티 만들기는 자연스럽게 내일로 미뤄졌다. 급할 거 없으니까. 어차피 내일도 바쁘지 않을 것이다.

누군가와 함께 아침을 맞이하는 건 아직 어색하다. 특히 소현씨처럼 밤에 잠을 잘 수 없어 내가 몇 시에 일어나건 그 시간만을 기다리다가 나에게 아침인사를 건네는 그런 그녀와 맞는 아침이라면 더더욱. 이불 속에서 얼굴만 내밀고 나에게 잘 잤냐고 묻는 그녀는 지난 밤 어떤 시간을 보냈을까. 계속 마주보고만 있자니 민망해져서 이불 밖으로 손을 꺼내 흔들었다. 그랬더니 그녀는 그걸 보고 웃으며.

"얼른 가서 씻고 와요."

라며 나를 이불 밖으로 밀어 냈다. 혼자 살 때는 내가 원하는 만큼 누워 있을 수 있었는데, 본의 아니게 결혼 간접 체험을 하는 중이다. 그래도 오늘은 오늘의 할 일이 있으니 하루의 시작을 개운하게 할 필요는 있을 것이다. 수건으로 머리를 털며 화장실 밖으로 나오니 소현씨가 바닥에 신문지와 티셔츠를 깔아 놓고 그림 그릴 준비를 하고 있었다. 매번 느끼는 거지만 추진력 하나만큼은 정말 대단하다.

"머리 말릴 시간은 주세요. 그래도."

살짝 투덜거리긴 했지만 몸은 자연스럽게 바닥에 앉고 있었고 소현씨는 내 투정은 신경 쓰지 않는 듯 보였다. 그녀는 이내 물감 사용법을 설명하기 시작했고 나는 처음 보는 직물 물감이 신기해 돌려 보고 있었다. 딴청 피운다고 조금 혼났지만 이내 집중하고 본격적으로 그림을 그리기 시작했다.

"커플티에 서로 얼굴 그려주기 어때요?"
"좋은 생각이네요."

 라고 말하긴 했지만 소현씨의 얼굴을 내가 제대로 그릴 수 있을지 걱정이 되었다. 아무리 생각해 봐도 마지막으로 그림을 그려 본 적이 언제인지 기억도 안 나고 그려본 그림이라곤 대학시절 만화 감상 동아리로 알고 들어갔었는데 그림 동아리였던 곳에서 몇 번 그려본 캐리커쳐 뿐이었다. 소현씨는 어떻게 하고 있나 슬쩍 봤더니 거침없이 붓질을 하고 있었다. 막힘없이 그려 내려져 가는 내 얼굴을 보니 소현씨는 그림에 일가견이 있는 듯 보였다.

"부끄러우니까 보지 마세요!"

 라며 소현씨는 옷과 함께 등을 돌려 버렸고 결국 나는 다시 흰 티와 대면하며 떨리는 손으로 붓을 쥐었다. 할 수 있다. 얇은 붓에 검은 물감을 묻혀 우선 소현씨의 얼굴형을 그렸다. 볼살 없이 매끈하게 날카로운 턱선까지 매끄럽게 내려오는 얼굴형이 마치 잘 빚어 놓은 도자기 같다. 그 위로 검은 머리칼을 그려준다. 단정하게 잘 묶인 머리. 머리숱이 어찌나 풍성한지 검은 물감을 거의 다 쓸 뻔 했다. 다시 얼굴로 돌아가 눈썹을 그려준다. 소현씨의 얼굴을 하늘에 빗대면 밝은 해 위로 잔잔히 떠 있는 두 구름 같다. 두껍지 않은 눈썹이 소현씨의 큰 눈망울을 더욱 부각 시켜 준다. 조금 더 내려와 두 눈. 검은색과 갈색 물감을 잘 섞어 그 짙은 눈동자 색을 표현해 본다. 어두운 갈색의 오묘한 눈동자. 그리고 그 눈동자를 품은 호수 같은 큰 눈. 넓은 호수의 한 가운데 둥근 섬이 하나 떠 있다. 날카롭게 솟은 콧대를 지나 길게 늘어진 하트 모양의 붉은 입술. 그림을 그리며 소현씨의 이목구비를 오밀조밀 떠올려 보니, 참 아름답다, 라고 느꼈다. 그 외의 단어로는 잘 설명이 안 된다. 메마른 나의 감성과 짧은 언어로는 다 표현하지를 못하겠다. 그래도 마지막으로 소현씨의 입술을 칠하고 붓을 떼는 순간까지 최선을 다했다.

"다 그렸어요?"

소현씨가 여전히 등을 돌린 채로 물었다. 나는 대답 대신에 자리에서 일어나 그녀 앞으로 가서 앉았다. 내가 그린 그림은 등 뒤에 숨기고 소현씨가 그린 내 얼굴을 먼저 보고 싶었다. 아무래도 자신이 없었다.

"다 그렸죠. 소현씨가 그린 거 먼저 보여주세요."
"부끄러운데....... 오랜만에 그리려니."

소현씨의 손에 들린 옷에 그려진 내 얼굴은 나와 마주봤지만 그녀는 부끄러움에 고개를 왼쪽으로 돌려 버렸다. 그림보다 그녀의 얼굴이 먼저 눈에 들어왔지만 시선을 내려 그림을 봤다. 옷 위에 그린 그림이라기엔 너무 잘 그린 그림이다. 얼굴 가득 미소를 머금은 내 얼굴을 그려주었다. 거울 앞에서 웃어 본적이 없어서 잘 모르지만, 소현씨 앞에서 웃는 내 모습은 저렇구나. 보면 볼수록 사람을 편안하게 만들어주는, 그런 따뜻한 그림. 등 뒤에 숨긴 내 그림이 초라하게 느껴져 꺼내 놓기 겁이 났다. 나는 그녀의 그림에 만족하지만 그녀는 내 그림을 보고 실망하면 어떡하지? 하는 불안감에 괜히 손에 힘이 들어갔다.

"이제 지호씨 그림도 보여주세요."
"소현씨가 너무 잘 그리셔서 보여드리기 부끄럽네요……"
"괜찮아요, 잘 그리는 게 중요한 게 아니니까요."

 이번에는 그녀와 반대로 내가 옷을 그녀에게 보여주고 고개를 옆으로 돌렸다. 아무 말 없는 그녀로 인해 불안해질 즈음 소현씨가 내 두 손을 잡았다.

"캐리커쳐네요! 너무 귀여워요! 고마워요 지호씨."
"네? 잘 못 그린 것 같은데 괜찮아요?"
"너무 귀엽게 잘 그리셨는데요? 저 누가 캐리커쳐 그려주는 건 처음이라 너무 마음에 들어요."
"소현씨도 제 그림 너무 잘 그려주셔서 감사해요. 혹시 미술은 공부하신 거 에요?"

 소현씨는 내가 그려준 옷을 들고 그렇다고 대답했다.

"그럼 혹시 어느 대학교 나오셨어요?"

 그녀가 미술을 공부한 학교는 이름만 들으면 누구나 엄지를 치켜 들 그런 곳이었다. 보잘 것 없는 내 실력이 다시 부끄러 워졌다.

"거기 미술로 제일 유명한 대학 아니에요?"
"그럼 뭐해요. 그렇게 좋은 대학이었으면 제가 아직 살아 있었 겠죠. 화가가 되고 싶다는 꿈 하나 못 이루고 이렇게 됐는걸 요."

 순간적으로 그녀의 표정이 어두워졌지만 분위기를 의식했는 지 억지로 웃는다. 입은 웃고 있었지만 금방이라도 눈물이 흐 를 것 같은 눈을 보니 미안한 마음이 들었다. 나는 화제를 돌 리기 위해 "다 그렸으니 입어 볼까요?" 라며 커플티를 입어 보려 했지만 소현씨는 "아직 물감이 안 말라서 안돼요." 라고 말하며 가볍게 웃었다. 미소 뒤에 숨기고 있는 것들이 많은 그 녀다. 아직도 눈물이 고인 얼굴이 신경 쓰이는지 물감이 잘 마 르게 옷을 옥상에 널고 온다며 밖으로 나갔다. 따라 올라 갈까 했지만 축 처진 어깨를 보니 그럴 수 없었다. 바닥에 깔린 신 문지들을 치우고 있으니 소현씨가 돌아왔다. 눈물은 햇빛에 말려 버린 것처럼 아무 일도 없다는 듯 돌아온 그녀가 오히려 더 안쓰럽게 느껴졌다. 하지만 괜찮은 척하는 그녀를 위해 나도 모른 척 하기로 했다.

하루 종일 내리 쬘 것 같던 태양은 갑자기 나타난 먹구름에 둘러 싸여 사라졌다. 비가 내릴 것 같아 급하게 옥상으로 올라가 말리고 있던 옷을 들고 내려왔다. 잘 마른 옷을 개어 넣으니 천둥소리와 함께 비가 내려왔다. 올해의 장마가 시작됐다. 일주일째 이어지는 비에 문 밖으로 나갈 엄두조차 못 내고 있으니 소현씨는 답답해서 견디기 힘들어했다. 말로하진 않았지만 온몸을 비틀고 바닥에 이리저리 굴러다니는 모습을 보면 영락없이 나가 놀고 싶어 하는 어린아이의 모습이다. 우리 집 문에 자석으로 붙여 놓은 소현씨의 리스트를 들여다봤다. 2번까지 체크는 되어 있는데, 문제는 대부분의 것들이 밖에서 해야 하는 일들이라. 특히 3번 바다 가기는 이런 날씨에는 이행이 불가능하다. 그래도 뭔가 할 게 없을까 고민하다.

"소현씨? 이거 리스트 꼭 순서대로 해야 하는 건 아니죠?"
"네, 마지막이 가장 중요한 거라 꼭 순서를 지킬 필요는 없어요."
"그러면 우리 요리하기 먼저 할까요? 비도 계속 오는데 집에서 맛있는 거나 만들어 먹어요."
"그럴까요? 그럼 먼저 장부터 보고 와요!"

이런 소소한 일에도 금세 기운을 차리는 그녀이다. 저번에

사둔 장바구니와 우산을 챙겨 밖으로 나간다. 빗방울이 가늘어
져서 이 정도는 맞으면서 가도 되지 않을까 싶었지만, 돌아오
는 길에 어떻게 될지 모르니 우산을 펼친다. 우산을 쓸 수 없
는 소현씨를 위해 우산을 그녀 쪽으로 기울여 줬지만 신기한
걸 보여 준다며 우산 밖으로 나갔다.

"저 비 맞아도 안 젖어요. 신기하죠?"
"그래도 비 맞지 말고 들어와요."

그녀의 어깨를 당겨 우산 안으로 다시 들어왔다. 좁은 우산
탓에 우리 둘의 어깨가 밀착 되었지만 삐져나간 어깨는 비를
맞을 수밖에 없었다. 소현씨는 괜찮다고 말하다가 나와 팔짱을
끼며 우산을 반대편으로 밀었다. 그녀의 한쪽 어깨가 비에 노
출 되었지만 내 어깨는 더 이상 젖지 않았다.

"저는 맞아도 안 젖는다니까요."
"감기.......도 안 걸리죠?"
"네, 그러니까 걱정 마시고 지호씨가 비 맞으면 안돼요."

미끄러워진 길 탓에 평소보다 느리게 걷다 보니 마트까지 가
는데 오래 걸렸다. 우산에 묻은 물기를 털고 왼쪽 손목에 걸친
뒤 반대 손으로 장바구니를 들었다. 오늘은 살 것이 많이 없으
니 카트까지 끌 필요는 없다. 그런데 뭘 사야 하더라?

"소현씨 우리 뭐 해 먹을 거 에요?"

"흠, 비 오는 날 하면 생각나는 음식 있어요?"

"비 오는 날이면 역시 파전?"

"파전도 좋고, 그것만으론 배가 안 찰 테니, 칼국수 어때요?"

"그럼 오늘 저녁은 칼국수랑 파전이네요. 막걸리도 한 잔 할까요?"

"좋아요! 맛있게 만들어 봐요 우리."

 장보기는 금방 끝났다. 밀가루, 부침가루, 쪽파에 바지락, 국물용 멸치 정도만 사니 나머지는 집에 있는 재료로 충분하다고 했다. 혼자 살면서도 요리를 거의 해 본적이 없으니 어떤 음식에 뭐가 들어가고 하는 것도 잘 모른다. 반대로 소현씨는 매일 간단한 반찬이나 국으로 식사도 차려주고 덕분에 매일 잘 먹어서 살이 좀 찐 것 같긴 하지만, 제대로 된 식사를 할 수 있다는 건 좋은 일이니까.

"소현씨는 요리를 어떻게 그렇게 잘하세요? 갑자기 궁금해져서."

"저도 자취를 했었어요. 혼자서 해 먹을 때도 많았고, 친구들이 놀러 와서 먹기도 했었고, 자주하다 보니 잘하게 된 거죠."

 새롭게 알게 된 사실에 고개를 끄덕였다. 알면 알수록 못 하는게 없는 그녀구나.

 예상했던 것처럼 집으로 돌아가는 길은 미끄러워 몇 번 넘어질 뻔도 했지만, 푸짐한 저녁식사가 기다리고 있으니 힘써 올라 집에 도착했다. 비를 막아준 우산을 문 밖에서 털고 세워둔 뒤 조금은 비를 맞은 어깨를 털었다. 만져 보니 생각보다 많이 젖어서 그냥 갈아입는 게 나을 것 같다. 소현씨도 내 옷을 보고는 자기가 요리 준비를 하고 있을 동안 편한 옷으로 입고 오라고 했다. 어차피 오늘은 또 나갈 일이 없을 테니.

　잠옷으로 환복하고 나니 외출복은 갑옷처럼 무겁게 느껴진다. 벗은 옷은 대충 세탁기에 넣은 뒤 부엌에 있는 소현씨에게 다가갔다. 장 봐 온 것들을 늘어놓은 걸 보니 생각했던 것보다 많기도 했고 이걸로 또 한 동안은 반찬 걱정은 없겠구나 싶었다. 소현씨는 바지락을 물에 씻고 있었다.

"생각보다 많이 사 왔네요."
"네. 지호씨 항상 밥 잘 먹고 건강해야죠."
"고마워요. 매번 그렇게 신경 써줘서. 근데 바지락은 왜 씻는 거 에요?"
"겉에 뭐가 묻어 있을 수도 있고, 또 해감해서 안에 있는 모래 같은 것들 토해내게 해야 하거든요."
"아하. 어쩐지 가끔 조개 같은 거 사먹으면 모래가 씹히더라."
"지호씨 나중에 저 없으면 어쩌려고 그래요. 하여간 앞으로 내가 하나하나 다 가르쳐야겠어."
"그 걱정은 그때 가서 하자고요. 지금은 소현씨가 같이 있잖아요."
"말은 잘해요. 아무튼, 바지락 해감 되려면 오래 걸리니까, 잠시 놀고 있을까요?"
"좋아요. 근데 뭐하고 놀죠?"

소현씨는 방바닥에 앉고 나에게도 앉으라고 손짓했다. 바지락을 해감 하는데 한 시간 정도 걸린다고 하니 상당히 긴 시간이다. 무얼 해야 하나 고민하고 있는데 소현씨는 진지한 표정으로 나를 쳐다보다가 갑자기 큰 소리로, "진실 게임!"이라고 외쳤다. 게임이 그런 게임이었을 줄이야. 뭐라 토를 달 겨를도 없이 소현씨가 질문을 던졌다.

"자, 지호씨, 제가 첫사랑인가요?"
"네? 어........ 첫 연애니까 맞죠?"
"어머, 좋아라."
"그럼 반대로 소현씨는요?"
"저는 지호씨가 두 번째에요."

당연히 내가 첫 번째 일리는 없을 거라 생각했지만 의외였다. 소현씨 같은 미인이 지금까지 연애를 한 번 밖에 안 해 봤다니. 이런 걸 가지고 거짓말 할 것 같지도 않고, 자기가 먼저 물어본 질문이니 솔직하게 대답했을 거다. 그 뒤로도 몇 가지 질문을 주고받았지만, 진실게임이라기 보단 서로에 대해 궁금했던 점을 묻고 알아가는 시간이었다. 지금까지 어떤 삶을 살아왔는지, 어린 시절은 어땠고, 좋아하는 것은 무엇이고 어떤 것을 싫어하는지, 어떤 취미를 가지고 있는지, 이제야 이런 것들을 물어보고 답하는 게 조금 늦은 감은 있었지만 좀 더 연인 같다는 기분을 느끼게 해주었다. 대화를 나누다 보니 소현씨가 이제 해감이 다 되었겠다며 마지막 질문을 하겠다고 했다.

"지호씨 저 사랑해요?"

 당연히 그렇다고 대답하려고 하다가 사랑에 대해서 고민해 봤다. 나는 사랑을 해본 적도 없고 소현씨를 좋아한다는 감정은 있지만 아직 사랑하는지에 대해서는 확답을 내릴 수가 없다. 좋아한다와 사랑한다 에는 분명한 차이가 있을 테니까. 이 대답에 대한 고민은 조금 더, 그리고 내가 그녀를 사랑하는지에 대해서는 좀 더 오래 고민해 봐야 알 것 같다. 겉치레로나마 사랑한다고 말하기엔 나는 아직 아무것도 모른다.

"제가 소현씨를 좋아하는 건 확실한데 솔직히 말해서 아직 사랑에 대해서 저는 잘 모르고, 좀 더 시간을 두고 대답해드리고 싶어요."
"좋은 대답 감사해요. 그럼 칼국수 준비해볼까요?"

 그렇게 말한 그녀는 분명 웃고 있었지만, 고개를 돌리는 찰나 아쉬워 하는 감정이 표정에 드러났다. 그녀는 나에게서 진심으로 사랑을 원한걸까. 원하는 답을 주기까지는 시간이 걸릴 것 같지만.

 소현씨는 소금물에 담겨 있던 바지락을 씻으며 나에게 먼저 멸치 육수를 내달라고 했다. 그녀의 지시에 따라 냄비에 물을 담고 끓이기 시작했다. 그 다음 감자 껍질을 벗기고 소현씨는 그 감자와 애호박을 썰었다. 처음 함께 요리해보니 즐겁기도 했지만 이 그동안 소현씨 혼자서 요리한 것에 대해 미안한 감정도 들었다. 이제부터는 밥 준비를 함께 해야겠다. 멸치국물에 바지락과 썰어 놓은 야채들을 넣으니 끓으면서 올라오는 구수한 향이 좋았다. 면을 반죽하는 건 힘들 것 같아서 완제품 면을 사왔으니 그걸 살살 풀어주며 국물에 넣었다. 칼국수는 이제 삶기만 하면 된다며 바로 전 준비를 시작했다. 부추와 배추 과하지 않게 두 가지 재료만 준비했다. 부침 반죽을 발라 배추와 부추를 구웠다. 세 장 째 구울 때 서야 이 모든 걸 나 혼자 먹어야 한다는 생각이 들었다.

"이거 저 혼자 다 먹는 거잖아요?"
"그렇죠? 저는 못 먹으니까."
"너무 많은데......."
"많이 먹으면 건강하고 좋죠!"

그것도 적당히 많이 먹었을 때 이야기겠지만........ 아무튼 먹을 준비가 되었으니 식사를 시작해보자. 비가 강하게 내리는지 창문을 두들기는 소리도 들린다. 하지만 동시에 그 소리가 식욕을 돋운다. 어릴 적부터 비오는 날엔 전을 먹었다. 아버지는 비 내리는 소리가 전 굽는 소리와 비슷해 비가 오는 날이면 항상 생각난다 하셨고 어머니께서는 비가 오는 날이 그나마 시원해서 전 굽기 좋다고 하셨다. 둘 중 어느 이유가 맞던지 나는 전을 먹는 걸 좋아했다. 그러나 독립 후에는 밥 먹을 여유조차 없는 상황에 전이란 내게 사치가 되었고 어느 순간부터는 비가 얼마나 내리든 전 생각이 나지 않았었다. 아무리 긴 장마에도 그랬다. 칼국수 면이 불수도 있지만 우선 잘 익은 배추전 한 조각을 맛 봤다. 뜨거워서 혓바닥이 다 벗겨지는 줄 알았지만 천천히 씹다 보니 밀려오는 배추의 달콤함이 좋았다. 살며시 미소 짓는 나를 보고 소현씨도 다행이라는 듯 미소 지었다. 뜨끈한 칼국수도 한 젓가락 입에 가득 넣으니 쫄깃한 면과 걸쭉한 국물이 번갈아 미각을 자극한다. 혼자 먹기에는 많을 것 같던 양이 거의 남지 않았다. 배가 너무 불러서 고장 난 오뚝이처럼 바닥에 드러누워 버렸다.

"어휴. 더는 못 먹어요."
"거의 다 먹었네요. 뭘."
"소현씨가 해주는 밥은 항상 맛있으니까요."
"같이해서 더 맛있었을 걸요 오늘은? 배 너무 부르면 누워 있어요. 설거지는 제가 할게요."
"아니에요 그냥 두세요. 소화 좀 되면 제가 할게요."
"그럼 나도 지호씨 옆에 누워 볼까나?"

소현씨는 내 옆에 나란히 누워 불룩 튀어 나온 내 배 위로 손을 올렸다.

"이거 배 나온 것 봐요. 잘 먹긴 했나보네."
"소현씨랑 계속 살면 살 뒤룩뒤룩 찌겠어요."
"그럼 통통하게 키워서 앙 하고 잡아먹어야겠다."

소현씨는 그렇게 말하며 내 손끝을 장난스럽게 무는 시늉을 했다. 장난기 가득한 그녀의 머리칼을 쓰다듬었다. 왠지 그래야 할 것 같은 기분이 들어서. 그랬더니 그녀가 얌전해진다. 손길에 편안함을 느끼는지 눈을 감고 내 품으로 더욱 파고들었다. 그녀가 살아 있었다면 이 이상의 스킨십도 할 수 있지 않았을까 욕심이 생겼다. 다시 생각해 보니 그녀가 죽지 않았다면 이렇게 함께할 수도 없었을 테지만, 소현씨라는 장작에 함께하는 시간이라는 불이 타오르니 욕심이라는 연기가 자꾸 피어오른다. 그래서일까, 기분좋게 체온이 살짝 올랐다. 몸을 돌려 그녀를 끌어안았다. 내 선에선 나름 용기 낸 거다. 만져지는 촉감은 있지만 온도가 없는 그녀. 인형이라기엔 푹신하지 않고 사람이라기엔 온기가 없다. 어중간한 상태의 그녀가 갑자기 이질적으로 느껴져 더 강하게 끌어안았다. 갑작스런 압박에 그녀는 불편함을 느꼈는지 몸을 조금 뒤척였지만 자세를 잡고 나에게 더 가까이 다가왔다.

"이대로 잘래요?"

그녀가 나지막이 물었다.

"먹고 바로 자면 살 쪄요."
"살찐 지호씨도 귀엽고 좋을 것 같은데."
"잡아먹으려고 그러는 거죠?"
"들켜버렸네."
"잡아먹히기 전에 설거지 해야겠네요."

내가 바닥에서 일어나자 소현씨는 리스트 쪽으로 가서

체크를 추가했다. 긴 시간을 함께 한건 아닌데 벌써 3개나 했다. 이대로라면 여름이 지나가기 전에 전부 끝낼 수도 있겠다. 처음엔 부담스럽고 걱정도 많이 됐었는데, 하나하나 천천히 해 나가니 추억과 함께 쌓여간다. 시작하기 전엔 많아 보이는데 차근차근하다 보면 끝나는 설거지처럼 앞으로 해야 할 것보다 지금까지 해 온 것들이 많아진다.

"벌써 세 개나 했네."

나와 소현씨가 동시에 혼잣말을 내뱉었다. 이후에 우리는 눈을 마주쳤지만, 아무 말도 하지 않았다.

"이제 곧 장마가 끝난 다는데 바다 가요 바다."

여전히 비가 그칠 생각을 하지 않는 날들이 이어지고 있었지만 소현씨는 아침부터 어딘가로 나갔다 오더니 갑자기 일기예보를 한다. 정보의 출처를 물어 봤더니 이 근방에 날씨를 예측할 수 있는 귀신이 있다며 거기에 물어보고 왔다고 한다. 이 동네에 무당이라도 살고 있었던 건가? 장마가 끝난다면 나도 좋은 거니까. 일단 믿어보자.

"근데 바다를 가려면 역시 차가 있어야 할 것 같은데......."
"차 빌릴만한 곳 없을까요?"
"주변에 차 빌릴만한 곳이라. 흠........ 아. 형."
"지호씨네 형이요?"

"네. 별로 안 친하긴 한데. 형이 차가 두 대라 한 대 정도는 빌릴 수 있을 것 같아요."

"우와."

"한 번 전화해 볼게요."

 전화 걸기가 무섭게 형은 전화를 바로 받았다. 마치 기다리고 있었다는 듯이. 물론 항상 바쁜 사람이라 전화는 언제든지 받을 수 있게 준비해 둔다고 듣긴 했지만. 이정도의 반응 속도일 줄은 몰랐다.

"여보세요?"

"어 형. 나야."

"웬일?"

"형 안 타는 차 한 대 있지? 그것 좀 빌릴 수 있을까?"

"그래."

 차를 빌려 준다는 허가와 함께 통화는 금방 끝이 났다. 형은 워낙 바쁜 사람이기도 하지만, 형이 보내주는 용돈도 매달 정해진 날 들어오고 명절이라도 1년에 한 번 볼까 말까하는 사람이니, 어릴 시절을 함께 보냈다는 것 외에는 형제라고 할 증거도 없다. 외모가 닮은 것도 아니고, 나이차이 때문에 같이 다녔던 학교는 초등학교뿐이다. 중고등학교는 각자 따로 졸업하고, 내가 성인이 되었을 때 형은 유학길에 오른 뒤였다. 한국에 돌아와서는 30대 중반에 작은 회사를 운영하고 있는 형을 보면서 몇 년 전까지는 열등감이 들었지만 지금은 그런

형이 있어서 다행이다, 라는 생각이 든다. 비굴하다는 건 알지만, 지금은 자존심보다 생존 본능이 앞선다.

"지호씨 형은 어떤 분이세요?"
"그냥 뭐, 무뚝뚝하고, 항상 표정은 무슨 생각을 하는지 모르겠고, 그래도 열심히 살고 저한테는 든든한 형인 것 같아요."
"형제 사이가 좋네요. 차도 선뜻 빌려주고."
"소현씨는 형제자매가 있었나요?"
"저는 외동이었어요. 부모님께서도 제가 대학에 간 직후에 돌아가셨고, 성인이 되고부터는 쭉 혼자 지냈어요."
"많이 외로웠겠어요......."
"그래도 덕분에 죽는 순간에 나를 걱정하거나 내가 죽음으로 인해서 슬퍼할 가족이 없다는 건 편했지만요. 만약에 부모님이나 형제자매가 한 명이라도 있었다면, 그날 선로 앞에서 잠시라도 고민했을 테고, 그로 인해서 죽지 않았을지도 모르겠네요."
"......"
"뭐 결국 다 끝난 거지만요. 내일도 비가 그치지 않으면 납골당이나 가볼까요? 누가 제 장례를 치러 줬는지도 궁금하고."

납골된 사실을 어떻게 알았는지는 묻지 않았다. 자기 자신의 묘를 찾아간다는 것만으로도 본인의 심정은 말로 할 수 없을 만큼 복잡할 것이다. 자기 자신의 죽음을 직면할 수 없는 인간으로서 죽기 전까진 이해할 수 없는 그런 심정일 테니까. 잠시 정적이 흐르는데 누군가 노크를 하는 소리가 들렸다. 여기 올 사람이 누가 있지? 라고 생각하며 문을 여는데 오랜 기간 만나지 못해 길에서 마주쳤더라면 못 알아 봤을 수도 있을 나의 형이 서 있었다. 그가 나의 형이라는 사실을 인식하기까지 3초. 이 인간이 여기 왜 온 건지 생각하는데 3초가 걸려 나의 반응을 기다리던 형이 먼저 문을 밀고 들어왔다.

"손님이 왔으면 우선 들어오라고 해야지."
"아니, 그, 형이 왜 여기에?"
"마침 근처에 볼일이 있어서 나와 있었거든. 차 빌려 주려고 왔지."
"어, 그래 고맙네."
"그리고 이것도."

 형은 차키와 함께 하얀 봉투를 건넸다. 봉투의 내용물이 뭘까 의아해 하고 있는 사이에 이미 형은 문을 나서고 있었다.

"줄 건 다 줬으니 간다."
"벌써 가려고?"
"이제 회사까지 돌아가려면 지하철 타고 가야하고, 여자 친구랑 있는데 방해하긴 좀 그래서."
"에?"
"네?"

 당황한 나와 소현씨의 단말마가 동시에 튀어 나왔지만, 형은 아랑곳하지 않고 문을 닫고 떠났다. 소현씨와 나는 누가 먼저

랄 것 없이 동시에 고개를 돌려 서로를 마주 봤고, 당황해서 입이 떨어지지 않는 나를 대신해 소현씨가 먼저 입을 열었다.

"지호씨, 혹시 부모님이 무당이세요? 어떻게 형제가 둘 다 저를 볼 수 있죠?"
"아뇨, 평범한 직장인이랑 주부이신데. 소현씨 혹시 모든 사람에게 보이는 거 아니에요?"
"그럴 리가 없는데? 할아버님이나 할머님도 무당이 안 계세요?"
"제가 알기론 저희 집안에 무당은 없었어요."

우리 둘은 그날 자는 시간까지 어떻게 된 건지 고민해봤지만 결국 우리 형제가 특이체질이라는 결론에 도달했다. 자기가 혹시 보이는 거 아닐까 생각한 소현씨는 밖으로 나가서 이리저리 뛰어 다녀봤다지만 아무도 관심을 가지지 않는 걸 보면 자기는 안 보이는 게 맞다 확신했기에 납골당에는 마음 편하게 가기로 했다. 이제 오늘부터는 차도 있으니 더욱 편하게 갈 수 있어야 하는데. 오랜만에 잡아보는 운전대는 너무나도 낯설었다. 내가 어리바리하고 있는 모습을 본 소현씨는 말없이 안전벨트를 맸다. 하지만 걱정과 다르게 막상 운전을 시작하고 나니 별로 어려울 건 없었고 비 때문에 느리게 운전했지만 대중교통을 이용하는 것 보다 빠르게 도착할 수 있었다. 역시 사람은 차가 있어야 한다. 들어가기 전 근처 꽃집에서 흰 백합 한 송이를 샀다. 소현씨가 국화보다 백합을 좋아한다고 해서였다. 화려한 국화보다 수줍은 백합이 더 잘어울리는 그녀다.

입구에서 안내를 받아 소현씨의 납골당에 도착했다. 그녀는 지금 내 옆에 서 있지만 분골함과 그 옆에 놓인 사진, 그리고 소현씨의 위패는 그녀가 이 세상의 존재가 아니라고 내게 확신시켜 주고 있었다. 그녀도 기분이 묘한지 표정이 여러 차례 변하다가 이내 고개를 떨궜다.

"마음의 준비는 했지만 막상 이렇게 마주하니 기분이 이상하네요."

나는 대답할 말을 찾지 못해 말없이 그녀의 사진 옆에 백합을 놓았다. 그 자리에 다른 꽃은 없었다. 아마도 내가 처음으로 방문한 사람인 모양이다. 은은한 미소를 짓고 있는 그녀의 영정사진. 단정한 옷차림을 보니 아마 증명사진을 확대해 사용했나 보다. 그리고 그 옆에 놓인 작은 항아리에 적힌 이름 석 자와 생년월일. 마지막으로 적힌 기일. 소현씨가 죽었다는 사실은 알고 있지만, 매일 함께하는 그녀이기에 그 죽음이 와닿지 않았다. 이 두 감정 사이에 생긴 이질감이 깊은 계곡처럼 계속해서 이어질 것 같아 소현씨의 손을 잡았다. 온도가 없는 손이지만 분명 그녀는 내 옆에 존재하고 있다. 조용한 납골당 안에 들리는 소리는 밖에서 부는 바람 소리와 빗소리뿐이었다. 어색한 침묵을 먼저 깨트린 건 소현씨였다.

"지호씨의 꽃이 첫 꽃이네요."
"그러게요."
"하긴 올 사람이 누가 있겠어요. 가족도 없고, 친구들이라면

발빠짐에 주의 바랍니다 92

장례식장 정도가 끝일 테니까. 장례를 치러준 사람이 있다는 것만으로 감사해야죠."

그녀는 흐르는 눈물을 숨기려 고개를 돌리고 작은 목소리로 말했다. 오히려 그 모습이 나에게는 더 아프게 보였지만 말이다.

"갈까요?"
"네. 오늘은 돌아가서 푹 쉬어요."

입구를 지나 나오려는데 소현씨가 장례를 치러준 사람이 궁금하다며 물어보고 가자고 했다. 납골당 직원은 나의 질문에 열심히 키보드를 두들기더니 코끝에 걸쳐 있던 안경을 밀어 올리며 대답했다.

"고인께서 친척이 안 계셨기 때문에 지인이라는 분이 상주를 맡으셨는데, 성함이 김민준 씨네요."
"알려주셔서 감사합니다."

돌아서서 나오려는데 소현씨의 표정이 급속도로 어두워졌다. 금방이라도 눈물을 흘릴 것 같은 그녀의 어깨를 감싸고 나오는데 거의 들리지 않는 작은 목소리로 이렇게 말했다.

"나쁜 새끼······"

집으로 돌아가는 차 안에서 소현씨는 한 마디도 하지 않았다. 추적추적 내리는 빗소리가 차 천장을 두들길 뿐. 우리 둘 사이에 오고가는 대화는 없었다. 그녀는 창밖을 바라보며 생각에 잠겼고 운전에 집중해야 하는 나는 차마 그녀를 향해 고개를 돌릴 수 없었다. 그녀와 함께한 이래 이렇게 불편한 침묵은 처음이다. 방향을 바꿀 때 핸들마저 뻑뻑하게 느껴진다. 김민준이라는 사람이 누구기에 그녀를 이렇게 침울하게 만든 걸까. 자신의 유골함 앞에서도 괜찮은 척 하려고 노력하던 그녀였는데, 이름 세 글자에 무너졌다. 집에 도착해 계단에 오를 때도 고개를 푹 숙인 채 비를 맞으며 올라갔다. 분명히 뭔가 있을 텐데 물어볼 엄두가 나지 않을 정도로 심각한 분위기이다. 그런 중에 내가 힘겹게 꺼낼 수 있었던 한 마디는 "괜찮아요?"가 전부였다. 그녀는 나를 한 번 올려 보고 나를 힘껏 껴안았다. 그리고 지금까지 참아왔던 설움을 전부 토해내듯 서럽게 울었다. 얼굴을 내 가슴에 파묻고 울먹이는 소리 때문에 말을 알아들을 순 없었지만 나름의 위로로 등을 토닥여줬다. 그녀가 말할 준비가 될 때까지 조용히 기다렸다. 한참 울고 나니 진정이 됐는지 심호흡을 하며 불규칙해진 호흡을 가다듬고 바닥에 앉는 그녀를 따라 나도 마주 앉았다. 방금 전까지 울었다는 사실이 무색할 정도로 말끔한 얼굴로 그녀는 이야기를 시작했다.

"전 남자친구에요. 장례 치렀다는 사람."
"그런데 왜 그렇게 우신 거 에요?"
"헤어지기 직전에 바람났거든요. 얼마나 뻔뻔한지. 그 생각을 하니까 짜증이 확 나서 그만 울어 버렸네요. 지호씨 앞에서는 가능하면 웃는 모습만 보여주고 싶었는데."
"괜찮아요. 슬플 땐 울어야죠. 그나저나 나쁜 사람이네 그거."
"지금은 지호씨가 있으니까 괜찮아요. 저 두고 다른 여자 안 만날 거죠?"
"당연하죠. 애초에 주변에 아는 여자도 없는데."

"그거면 됐어요."라는 말과 함께 소현씨는 옷을 털며 자리에서 일어났다. 잠시 생각할 시간을 가진다며 문을 여는 그녀의 모습 뒤로 화창한 하늘빛이 내 집의 작은 문을 통해 들어왔다. 길고 길었던 장마의 끝이었다. 소현씨가 나간 동안 집안 정리를 하고 빨래를 돌렸다. 비가 그쳤을 때 밀린 빨래를 해두지 않으면 눅눅해진 옷들을 계속해서 입어야 할지도 모른다. 돌아가는 세탁기 소리를 들으며 생각에 잠긴다. 오늘도 소현씨의 과거 하나를 알게 되었다. 남자친구와의 이별이 그녀를 극단적 선택으로 내몬 것일까? 직접 물어 볼 수도 없지만, 더 이상 알고 싶지도 않다. 만약 그 사람 때문에 소현씨가 죽은 거라면 난 얼굴도 모르는 누군가를 미워하게 될 테니까. 더 이상 복잡한 생각은 하고 싶지 않아 찬물로 머리를 박박 감았다. 잡다한 생각들은 씻어 내고 할 일을 마무리하기 위해서였다. 수건으로 머리를 빠르게 털고 젖은 수건도 세탁기에 넣었다.

빨래를 널고 나니 저녁시간이 다 되었지만 소현씨는 돌아오지 않았다. 이 동네에 그녀 혼자 갈 곳이 있나 걱정되긴 했지만 기다리면 돌아 올 테니 기다리면 되겠지. 오늘은 오랜만에 짜장면이 먹고 싶어 한 그릇 주문했다. 아직은 그녀가 없으면 밥 한 끼 해먹기 힘드니 틈틈이 요리를 배워 둬야겠다. 30분 쯤 있으니 주문한 짜장면이 도착했고 타이밍 좋게 소현씨도 배달원과 함께 들어왔다. 철가방을 내려놓는 배달원을 지나쳐 소현씨가 내 곁으로 왔다.

"조금만 기다렸다가 밥해서 먹지."

나는 배달원이 나가길 기다렸다가 대답했다.

"짜장면이 너무 먹고 싶었어요."
"그럼 오늘은 특식이라고 치죠 뭐."
"그런데 어떻게 짜장면하고 딱 같이 왔어요?"
"아, 여기 뒷산에 올라갔다가 내려 왔는데 왠지 이 배달 오토바이가 우리 집으로 가는 것 같아서 뒤에 타고 왔어요."
"그런 건 참 편리하네요. 소현씨는."
"범죄가 아닌 선에서 누릴 건 누려야죠."

밥을 먹기 시작한 내 맞은편에 소현씨가 앉아서 말없이 나를 보고 있다. 오랜만에 바깥 음식에 신난 나를 보며 어떤 생각을 하고 있는지. 평소처럼 미소 짓는 표정이 아닌 감정을 읽을 수 없는 무표정이기에 더더욱 그녀의 감정이 신경 쓰였다. 식사준비를 마치고 괜히 한 번 입을 열었다가 다시 닫았다. 괜찮을 리가 없는데. 괜찮을 거라고 혼자서 자꾸만 합리화한다. 입안에 모래가 가득 찬 기분이 들어 음식이 넘어가질 않는다. 면이 고무줄 같다. 하지만 여기서 내가 음식을 남기기라도 하면 그녀도 자신 때문에 신경 쓴다는 걸 눈치 챌 테니, 씹는 둥 마는 둥 최대한 빨리 씹어 삼켜 버렸다. 그녀가 나에게 민폐 끼치고 싶어 하지 않아 하는 것처럼. 나도 그와 마찬가지이다. 감정을 숨기려 "소현씨가 해준 밥이 훨씬 맛있네요." 라고 말하며 일어나니 그녀도 이제야 미소를 짓는다. 이젠 정말로 기운을 차린 듯 쓰레기를 버리러 나서는 내 뒤에 달라붙어 "진짜요? 진짜? 그럼 매일매일 맛있는 거 해줄게요." 라며 병아리처럼 따라온다. 다시 집안으로 들어올 때도 따라 다니는 그녀를 뒤로 돌아 끌어안았다. 우선적으로 그녀의 모습이 귀엽긴 했지만, 이 포옹에 많은 의미가 담겼다. 말로 누군가를 위로하는 법을 모르는 나는 이렇게나마 몸으로 표현할 수밖에 없다. 그렇기 때문에 말없이 안겨 있는 그녀에게 내가 할 수 있는 말은 이것 밖에 없었다.

"내일 바다 갈래요?"

 다음날 나는 잔뜩 신이 난 소현씨에 의해 강제로 이른 아침을 맞이했다.

"왜 이렇게 어두워요? 아직 해도 안 뜬 것 같은데?"
"바다 가려면 머니까 일찍 가야죠!"
"그렇긴 한데......."
"필요한 짐은 제가 쌀 테니까, 지호씨는 일단 씻고 나와요."

 멀리 가야 한다고 일찍 자긴 했지만, 처음 하는 장거리

운전에 긴장 돼서 잠을 제대로 못 잤다. 입이 찢어질 듯 하품을 하고 잠을 깨기 위해 냉수마찰을 했다. 세수를 하고 나니 정신이 좀 들긴 했지만 평소보다 심하게 망가진 머리가 지난 밤의 고뇌를 그대로 보여줬다. 다시 하품을 크게 하고 입맛을 다셨다. 피곤하다고 안 갈 수도 없으니, 제일 먼저 보이는 편의점에서 커피를 사들고 가야겠다. 그래도 찬물로 씻었더니 잠이 거의 달아난다. 내가 오래 씻은 것도 아닌데 소현씨는 이미 나갈 채비를 마쳤다. 지금까지 했던 일들 중에 가장 기대감이 커 보였다. 그녀가 준비해 놓은 가방을 들쳐 메고 우리 집 아래 골목에 주차된 자동차 트렁크에 실었다.

"기름도 충분하고 가는 길에 커피만 하나 사서 가요."

 그렇게 말하며 시동을 거니 저 멀리 동이 터 오기 시작한다. 천천히 가도 점심시간 전엔 도착할 것이다. 굳이 급하게 갈 필요는 없을 것 같아서 액셀을 밟고 있던 발의 힘을 살짝 뺐다. 줄어든 속도만큼 여유가 느껴진다.

"천천히 국도로 갈까요?"
"네? 오래 운전하면 지호씨 힘드시지 않아요?"
"아뇨, 지금은 천천히 가는 게 나을 것 같아요. 처음으로 장거리 드라이브 하는데 천천히 가는 것도 나쁘지 않죠."
"그럼 좋아요!"

 마지막으로 바다를 본 게 언제더라. 중학생 때 가족들과 함께 해수욕을 갔을 때인가? 고등학생 때 수학여행을 바닷가로 갔던가? 둘 중 언제든지 오랜 시간이 지났다. 과장을 한 숟갈 더 하면 바닷물이 짜다는 사실도 잊어버릴 만한 시간이다. 희미한 기억 속의 바다를 그리며 서울을 벗어난다. 언제나 그렇듯 이 도시를 벗어나는 길은 많은 시간을 잡아먹는다. 자신이 품기 벅찬 수의 사람들을 천천히 토해내듯 서울은 많은 사람들을 밖으로 내보내지만, 반대편 차선을 슬쩍 보기만 해도 빠져 나가는 수는 의미가 없다는 것을 깨닫는다. 밑 빠진 독을 폭포수 아래 둔 것처럼, 줄어드는 만큼 다시 채워진다. 1시간쯤 달리자 도로가 한산해진다. 탁 트인 국도로 천천히 달리니 조금 전까지 있던 곳과 같은 나라가 맞는가 싶을 정도로 바뀐 풍경이 느릿느릿 스쳐간다. 주변에 차가 없다는 걸 확인하고 커피를 마시기 위해 잠시 차를 세웠다. 가을을 기다리며 곧게 자란 벼 사이로 바람이 가볍게 분다. 수많은 풀피리 연주를 들으며 커피를 벌컥 벌컥 들이킨다. 어느새 소현씨도 차에서 내려 기지개를 편다. 나란히 서서 잠시 풍경을 감상한다. 하지만 손에 들린 커피 병이 비워지자 약속했다는 듯이 서로 눈을 한번 마주치고 다시 차에 탄다.

"이제 안 졸려요?"
"바깥바람 좀 맞았더니 낫네요."
"너무 졸리면 말해요 대신 운전해 줄 테니까."

아무리 사람이 없는 국도라지만 지나가던 운전자가 우연히 운전하는 사람 없이 가고 있는 차를 본다면 얼마나 놀랄지

예상이 되니까 운전은 직접 하기로 한다. 힘들면 또 쉬어 가면 되니까. 사는 곳을 잠시 벗어났을 뿐인데, 사람이 이렇게나 여유로워진다. 천천히 운전하다가 쉬어 갈만한 곳이 있으면 잠시 차를 세우고 하며 오다 보니 속초에 도착했을 때는 이른 점심 시간이었다. 바로 점심을 먹고 움직이는 게 나을 것 같아서 소현씨에게 괜찮은 식당을 좀 검색해 봐달라고 했다. 그녀는 우리 사이에 있던 내 스마트폰을 들고 검색을 시도 했지만 잘 안 되는지.

"역시 안 되네."

라고 말했다.

"터치가 안돼요?"
"네, 인식을 못하나 봐요. 그렇다면. 속초 맛집 알려줘. 아 이제 된다."
"음성인식은 되나 보네요."
"그러게요 헤헤. 오. 지호씨, 막국수 어때요?"
"좋죠. 점심으로 가볍게 먹기도 괜찮고."
"그럼 이쪽으로 가요."
"그래요. 그리고 혹시 오늘 가보고 싶은 곳 생각해 봤어요?"
"음, 일단 해수욕장 가보고, 청초호 중심으로 한 바퀴 걷고 싶어요."
"네, 오늘은 그렇게 모시도록 하죠."

시원한 막국수 맛은 운전의 피로를 한순간에 씻어줬다. 오랜만에 외식이라 들뜬 것도 있겠지만 살얼음 띈 육수에 매콤달콤한 양념장을 풀어먹는 부드러운 막국수의 맛은 기대 이상이었다. 소현씨도 같이 먹었으면 더 좋았을 텐데, 그녀는 내가 먹는 모습을 말없이 바라보기만 했다. 식사를 마치고 가까이에 있던 해수욕장으로 이동했다. 역시 평일이라 그런지 모래사장은 텅텅 비어 있었고 우리 둘은 해변을 전세 낸 듯 바다를 즐길 수 있었다. 갈아입을 옷은 없어서 바다에 들어갈 순 없지만 잔잔하게 치는 파도를 바라보는 것만으로도 가슴이 시원해졌다. 소현씨는 모래의 촉감을 느끼기 위해서 인지 아니면 힐을 신고 달리는 게 불편해서인지 맨발로 백사장을 거닐고 있었다. 그 모습을 가만히 지켜보는데, 그녀가 아무리 멀리까지 걸어가도 발자국은 하나도 생기지 않았다. 내 발을 내려다보며 오른발을 살짝 옆으로 치워 보니 그곳엔 선명한 발자국이 남아 있었다. 파도소리에 정신이 팔려 갑자기 들이친 파도에 발끝이 살짝 젖으며 뒷걸음질 쳤다. 그리고 그 짧은 순간에 내 발자국은 지워졌지만, 지금 내 발 아래 새로운 흔적이 남아 있을 것이다. 내 발자국을 훔쳐간 파도가 바다로 돌아가는 모습을 잠시 지켜 본다.

"지호씨!"

수평선을 바라보며 아무 생각 없이 서 있었는데 소현씨가 누군가와 손을 잡은 것 같은 움직임을 보이며 다가왔다.

"옆엔 누구에요?"

"지호씨 역시 보여요?"

"아니요. 보이진 않는데....... 손잡고 계신 것 같아서."

"이곳에서 선배를 만났지 뭐에요. 저기 백사장에 혼자 있어서 데리고 와 봤어요. 지금 지호씨한테 인사하네요."

나도 허리를 가볍게 숙여 보이지 않는 선배에게 인사를 했다. 다른 귀신은 안 보이는데 왜 소현씨는 보이는 걸까. 소현씨는 내 앞에서 내 눈엔 보이지 않는 그, 혹은 그녀와 나를 이어주려 시선을 계속해서 옮겼다.

"이곳에서 사고사로 돌아가셨대요. 갑자기 파도가 강하게 칠 때가 있으니까 조심하라고 얘기 중이에요."

"그런 안타까운 사연이......"

"자기는 괜찮다고 조심히 놀다가 가라고 하시네요."

"네. 감사합니다."

여전히 나에겐 보이지 않는 그 혹은 그녀에게 소현씨가 손을 흔들며 배웅했다. 이곳에서 또 대화할 수 있는 누군가를 찾고 있을까?

"혹시 그 선배라는 분은 가셨나요?"

"네. 이제 잘 보이지도 않네요."

"그. 그분은 지박령 인거죠?"

"네, 물에 빠져 죽거나 오랜 시간 동안 시체를 회수하지 못하면 지박령이 되는데, 선배는 안타깝게도 두 가지 경우에 모두 해당 되죠."

"아....... 그렇군요. 그런데 왜 그분은 제 눈에는 안 보였을까요?"

소현씨는 대답하기 전에 세 발자국 정도 큰 보폭으로 걸어간 뒤 고개를 내 쪽으로 돌리고 대답했다.

"둘 중 하나죠. 지호씨가 저를 정말 보고 싶어 했거나, 제가 지호씨에게 정말 보이고 싶었거나."

그리곤 갑자기 달리기 시작하는 소현씨에게 어디 가냐고 물었더니 돌아오는 대답은 "저 이거 해보고 싶었어요. 나 잡아 봐라!" 철지난 연인 놀이에 당황한 나는 헛웃음을 한 번 하고 소현씨를 쫓아 달리기 시작했다. 복잡한 생각은 잠시 미뤄두고 지금은 지금을 즐기자. 어디선가 지금도 갈매기가 울고 먼 바다에선 뱃고동 소리가 들린다. 하지만 당장은 눈앞에 보이는 소현씨의 등을 최선을 다해 쫓는다. 체력이 없어 지치지 않는 그녀와 방구석 폐인인 나의 달리기 대결은 누가 봐도 내가 불리한 게임이었지만, 소현씨가 속도를 늦춰 주어서 심장이 터지기 직전에 그녀의 어깨에 손을 올릴 수 있었다. 터질 것 같은 가슴을 진정 시키기 위해 호흡을 고르고 말했다.

"잡았어요. 헉헉."
"잡혔네요."

라며 그녀는 뒤로 돌아 나를 끌어안았다. 여전히 숨은 가빴지만 허리를 조금 숙이고 그녀를 품안에 가득 안았다. 지금도 파도소리가 치고 갈매기가 울고 뱃고동이 울린다. 하지만 지금은 소현씨의 목소리만 귀 안에 가득했다.

"잡혔으니까 아무데도 안 갈게요. 지호씨도 저 놓지 말아줘요."
"네. 우리 약속한 거 다 지킬 때까지는 아무데도 안 가요."
"우리 오늘 약속한 거 에요. 어기면 미워할 거야."
"소현씨가 저 미워하는 일 없도록 할게요."

해수욕장에서 나와 소현씨가 말한 청초호로 이동했다.

가까운 거리에 있어서 차로 잠깐 이동한 후 주차장에 차를 데고 도보로 이동하기로 했다. 날씨가 좋기도 하고 둘 다 걷는 걸 좋아하니 시간도 많겠다, 천천히 둘러보기로 했다. 바람 한 점 없는 날씨에 호수는 잔잔했다. 건너편이 보이지 않을 정도로 넓어 바다가 아닐까 착각하기도 했지만 날아드는 새들이 이곳이 호수임을 증명해주었다. 무리 지어 다니는 오리를 보려고 호수 가까이로 걸어가자 나무로 둘러싸인 산책로가 나와 그늘 아래에서 강렬한 햇살도 피할 수 있었다. 여름은 어쩔 수 없는 여름이다. 더위를 느끼지 못하는 소현씨는 자꾸 그늘을 벗어나 더 넓은 세상을 탐방하려 했지만 그늘이 좋은 나는 직사광선 아래로 발끝 하나 내놓고 싶지 않았다. 그래도 손 뻗으면 닿을 거리에서 함께 걷고 있었다. 혼자 걷는 나를 본 소현씨가 다시 내 옆으로 와 한 바퀴 빙글 돌며 오른편에서 걷기 시작했다. 그 시선을 따라 고개를 돌리니 푸른 하늘 아래 푸른 호수. 하늘과 호수의 경계가 흐릿했다. 그런 풍경이 소현 씨를 꿈속의 여인으로 만들어 주었다. 눈부신 햇빛 속에서 흐 릿해진 그녀의 형체가 나풀거리자 지금 내가 보고 있는 장면 이 꿈인지 현실인지 분간이 되지 않았다. 그저 넋 놓고 바라만 보았다. 순간적으로 내 표정이 멍해졌는지 소현씨가 날 보며 무슨 생각 하냐며 웃었다.

"예뻐서요."
"네?"

무심코 진심이 튀어 나와 부끄러웠다. 민망함에 아무 말이나 내뱉어 "호수가요."라고 하는 바람에 소현씨가 삐질 뻔 했지만 그녀도 내 진심을 눈치 챘는지 가볍게 웃어 넘겼다. 조금 더 걷다 보니 호수 가운데 다리를 건너 들어갈 수 있는 정자가 보였다. 우리는 누가 먼저랄 것 없이 그쪽을 향해 걷기 시작했 다. 물 위에는 배가 없지만 하늘에는 조각배 같은 구름이 떠내 려간다. 하늘을 올려 봤다가 다시 찰랑거리는 호수를 내려다 봤다가. 가볍게 부는 바람을 따라 느린 걸음으로 정자가 제공 하는 그늘 아래에 도착했다. 이 근처에 사시는 어르신들로 보 이시는 분들이 먼저 앉아 대화와 함께 오후의 태양을 만끽하 고 있었다. 햇볕을 피하고 나니 내리쬐는 태양이 얼마나 강렬 한지 새삼 느껴졌다. 이대로는 한 발짝도 움직이기 힘들 것 같 아 잠시 쉬어 가기로 결정했다. 주변에 보는 눈이 많아 소현씨와 대화는 할 수 없었지만 이리저리 둘러 보다 서로 눈한 번 마주치면 저절로 미소가 지어졌다. 좋은 사람과 함께 있으면 대화조차 필요하지 않은가보다. 오늘도 새로운 기분에 들떠  소심하게 소현씨의 손끝을 잡았다. 처음 잡아 보는 건 아니지만 낯선 풍경이 처음의 설렘을 다시 가져다 주었다. 호수위로 바람이 일렁였고 소현씨의 머리칼도 사뿐히 흔들렸다.

 짧은 휴식을 마치고 소현씨에게 이끌려 다시 걷기 시작했다. 하루의 흐름을 따라 해가 기울어지고 그에 따라 더위도 점점 사그라지어 걷는 것도 부담이 되지 않았다. 소현씨가 '영금정'이라는 곳을 마지막으로 보고 싶다고 해서 거기로 가는 길에 시장에서 가볍게 저녁을 해결했다. 여름이라 아직 해가 떠 있었지만 바다를 보며 잠시 기다리고 있으면 금방 노을을 볼 수 있을 것이다. 하지만 역시 속초의 대표적인 관광지라 그런지 갯바위 위로 지어진 다리에도 줄 선 사람들이 들이친 파도처럼 가득 차 있었다. 물론 소현씨에게 인파는 아무런 문제가 되지 않았다. 다른 사람들을 뚫고 지나가는 모습이 소름 돋긴 했지만 물리적인 한계에 부딪힌 나는 양해를 구하며 사람들 사이를 비집고 그녀와 걸음을 맞출 수 밖에 없었다. 파도가 바위에 달려들었다가 부서지는 소리, 갈매기들이 주고받는 알 수 없는 대화, 관광객들이 서로 주고받는 경치에 대한 감상이 뒤섞여, 다리 끝에 도착한 소현씨가 나에게 한 말을 입 모양으로 겨우 알아 볼 수 있었다.

'날아 볼까요?'

그 말을 남기고 소현씨는 단숨에 난간을 넘어 바다를 향해 낙하했다. 그 모습에 나는 주변의 시선을 잠시 잊은 채 그녀의 이름을 외치고 뒤돌아 뛰어 나갔다. 그 짧은 다리를 건너는 1분 남짓한 시간, 갑자기 그녀가 왜 그런 행동을 했는지, 귀신이니 또 죽진 않겠지 라는 막연한 안도, 만에 하나 그녀가 갑자기 사라져 버린다면 어떻게 될까에 대한 걱정. 그녀에 돌발행동에 대한 반발로 내 머릿속에서 동시에 터진 생각들에 발이 엉켜 넘어질 뻔 했지만 다리 끝에는 소현씨가 아무 일도 없었다는 듯 웃으며 나를 맞이하고 있었다. 나는 반사적으로 그녀를 끌어안았고 소현씨는 "귀신이 되면 날 수 있을 줄 알았는데 아니네요." 라며 실없이 웃었다. 놀란 가슴을 쓸어내리며 왜 그랬냐고 묻고 싶었지만, 이미 그녀가 대답했고 허공을 끌어안고 눈물을 글썽 거리는 청년을 보는 주변의 시선이 날 아들었기에 말이 입 밖으로 나오지 않았다.

 서울로 돌아가기 전 마지막으로 밤이 된 해변에 앉아 뒤늦게 불만을 털어 놨다.

"아깐 왜 그랬어요? 놀랐잖아요."
"영화 보면 귀신이 막 날아다니고 그러잖아요. 그래서 날 수 있는지 궁금했어요."
"다음부턴 갑자기 그러지 마요 심장 떨어지는 줄 알았네."
"넓은 바다를 보니까 왠지 날아 보고 싶었어요. 옛날에 그런 상상 안 해봤어요? 수평선까지 날아갈 수 있으면 뭐가 있을까."

"또 다른 수평선이 보이겠죠?"

"하여간 지호씨는 낭만이 부족한 사람이라니까요. 그런데 역시 귀신이 되어도 좋을 게 하나 없네요. 날지도 못하고. 역시 살아 있는 게 나아요."

"소현씨는 가벼우니까 연을 날릴 때 잡고 있으면!"

"역시 낭만도 부족하고 센스는 더더욱 부족하다니까요."

"농담도 못해요........"

소현씨는 대답 대신에 모래사장에 머리를 대고 누웠다. 나도 따라 누울 뻔 했지만 손바닥을 파고드는 모래의 감촉을 느끼며 몸에 모래를 묻히는 건 현명한 일이 아님을 깨달았다. 나중에 자동차 시트를 청소할 생각을 하니 더더욱.

"역시 누워서 보니까 별이 잘 보이네요."

"그러게요 서울에선 이렇게 별 보기 힘든데."

"별 하나에 사랑과, 별 하나에 추억과, 별 하나에 동경과."

"그게 무슨 말이에요?"

"윤동주 시인의 '서시' 모르세요?"

"문학은 잘 몰라요......."

"그럼 밤하늘에서 가장 밝은 별은 뭐 게요?"

"시리우스 성."

"가장 먼저 뜨는 별은요?"

"금성이죠."

"가장 먼저 뜨니까 샛별이라고도 하고, 그럼 마지막 질문, 밤하늘에서 움직이지 않는 별은요?"

"북극성이요."

"저는 지호씨에게, 금성인가요, 시리우스인가요?"

"첫사랑이니까 금성이 아닐까요?"

"저는 지호씨에게 처음이니까 금성일 수 있고, 생애 가장 빛났던 순간으로 남아 시리우스가 될 수도 있겠죠, 하지만 제가 가장 바라는 건 북극성으로 남아 언제든 저를 바라볼 수 있고 저도 지호씨를 바라볼 수 있고, 언제나 한결 같았던 그런 순간으로 남고 싶어요. 지나친 욕심이 아니라면, 지호씨 인생에 북극성으로 남아도 괜찮을까요?"

내가 대답도 하기 전에 그녀는 부끄럽다며 도망가 버렸다.

사실 어떻게 대답해야 할지 몰라 고민 중이었기에 도리어 다행이려나. 나는 자리에서 일어나 손에 묻은 모래를 털고 집으로 돌아가기 위해 소현씨의 뒤를 쫓았다. 평소보다 들떠서 그런지 오늘따라 돌발행동이 많았던 그녀를. 발자국 하나 남지 않은 모래사장 위로 그녀의 발자취를 따라 걸었다. 아니, 슬슬 안 보이기 시작했으니 달려야겠다.

"운전은 제가 할게요. 지호씨는 한 숨 자요."

"네? 그래도 괜찮을까요?"

"이제 밤이라 다니는 차도 거의 없을 텐데 어때요. 오늘 많이 피곤했을 거 아니에요."

엉거주춤 조수석에 앉았지만 역시 마음이 편하지 않다. 역시 내가 운전을 하는 게 맞는 것 같아 운전석 쪽으로 몸을 들이 밀었지만 이미 소현씨에 의해 안전벨트가 채워지고 있었다. 이미 의자에 속박 당한 나는 어쩔 수 없이 시트에 등을 붙이고 앉았다. 소현씨는 나를 보고 웃으며 잘 자라고 말해주었고 나는 그녀의 원대로 머리를 뒤로 붙이고 잠을 청했다. 새벽부터 감지 못했던 눈꺼풀은 한 번 붙으니 떨어질 생각을 않았고 나는 그대로 잠이 들었다. 몇 시간이나 지났을까. 다시 눈을 떴을 때는 요금소를 지나 서울로 막 들어온 때였다. 얼마나 깊게 잤는지 꿈도 꾼 것 같은데. 기지개를 켜며 졸음을 몰아내고 소현씨에게 수고했다고 인사를 건넸다. 소현씨는 대답 없이 차를 몰다가 신호에 걸려 멈춰 서자 나를 보며 말했다.

"잘 잤어요?"
"네. 덕분에요."
"그런데 있잖아요."
"네?"
"지은씨가 누구에요?"

소현씨는 웃고 있었지만 한기가 등줄기를 타고 흘렀다. 나는 반쯤 기절하듯이 다시 눈을 감고 자는 척을 했지만 이어지는 소현씨의 말이 더 소름 돋았다.

"집에 가서 자세히 얘기하면 되니까 좀 더 자둬요."

차문을 열고 뛰어내릴까 생각도 했지만 그건 너무

위험하겠지? 집에 돌아가서 잘 설명하면 괜찮을 거야........ 소현씨가 나를 죽이기라도 하겠어? 무거운 정적을 감추기 위해 억지로 코 고는 소리를 냈지만 그다지 효과가 좋지는 않았다. 집으로 돌아가는 길이 오늘따라 더 멀게 느껴진다. 집에 도착해서도 소현씨는 아무 말 없이 미소만 짓고 있었다. 아무래도 내가 먼저 말을 하길 기다리고 있는 것 같아서 먼저 말을 꺼냈다.

"지은이 이름은 어떻게 아신 거 에요?"
"아, 지금 이 상황에 그게 더 궁금하시구나."
"아니, 그런 게 아니고요......."
"지호씨가 잠꼬대 하시면서 애타게 찾으셔서, 누군지 궁금했을 뿐이에요."
"그게, 그러니까요, 사실대로 말씀 드리면."
"네. 말해보세요."
"고등학생 때 좋아했던 반 친구인데요."
"지호씨. 제가 첫사랑이라면서요."
"네! 당연하죠! 첫 연애니까."
"그건 첫 연애고요! 좋아했던 사람이 있으면 그게 첫사랑이죠! 지호씨 나빴어요."
"속일 의도가 아니라 제가 말뜻을 이해를 제대로 못 해서......."

　열심히 변명을 하려 했지만 소현씨가 이미 내 시야에서 사라진 뒤였다. 가벼운 말다툼 뒤에 이렇게 사라지는 게 처음은 아니다. 그럴 때 마다 내가 할 수 있는 건 소현씨가 화가 풀릴 때까지 가만히 기다리는 것이다. 이런 상태로는 대화고 뭐고 할 수가 없으니. 오늘밤은 넘기고 들어올 것 같은 느낌이 들어 바닥에 누워 천장을 바라보며 생각했다. 그게 그렇게까지 화낼 일인가? 소현씨에게 있어서 그녀가 나의 첫사랑이라는 건 어떤 의미를 지니는 것이기에, 이렇게까지 반응하는 걸까? 소현씨는 내가 첫 연애도 아니면서. 괜히 나까지 기분이 나빠져 뒤척이다가 겨우 잠이 들었다. 첫사랑인지 아닌지가 뭐 그렇게 중요하다고. 아침이 되어 눈을 떴지만 여전히 소현씨는 돌아오지 않았고 대신에 문자 하나가 와 있었다. 핸드폰도 없는 그녀가 문자를 보냈을 리는 없지만 설마 하는 마음으로 확인했다.

'잘 지내냐? 다음 주 토요일에 동창회 하는데 참석할 거?'

다음 주 주말? 어차피 약속이라고 해봐야 소현씨와의 약속밖에 없으니. 곰곰이 생각해 봐도 그날 뭘 하자고 정해 놓은 건 없으니까 말하고 갔다 와도 되겠지? 아직 소현씨가 돌아오지 않았으니까. 나도 내 방식대로 심술을 부려 보고 싶어졌다.

'그날 일 있는지 확인해 보고 다시 연락 줄게.'라고 답장했다.

# 3. 열차가 출발합니다

멍하니 누워 있으니 시간이 멈춘 것 같았다. 긴 시간은 아니지만 하루 종일 소현씨와 함께 있을 때는 시간이 잘 갔었는데, 몇 시간 못 봤다고 허전함이 방 안을 가득 채운다. 집에 혼자 남겨진 강아지처럼 안절부절 못하며 누웠다가 앉았다가. 이럴 때 소현씨에게 핸드폰이 있다면 전화나 문자라도 해볼 텐데. 계속해서 기다리는 수밖에 없나. 아무 의미 없이 흘러간 시간은 어느새 정오를 넘어 섰고 분위기 파악을 못하는 배꼽시계는 밥 먹을 시간이라며 시끄럽게 울려댔다. 그래 일단 밥은 먹어야 하니까. 짜장면을 주문하고 기다리는 동안 우선 샤워를 했다. 잠이 깨고 정신이 맑아지니 소현씨를 향한 화도 가라앉았다. 애초에 그렇게 화낼 일도 아니잖아. 잠시 뒤 짜장면이 도착했는데 배달부 뒤에서 소현씨가 나타나 집으로 들어왔다. 조금 기다렸다가 들어와도 되는데 그를 뚫고 들어오는 바람에 깜짝 놀라 돈을 떨어뜨릴 뻔 했지만 침착하게 계산을 마치고 소현씨를 향해 돌아섰다.

"깜짝 놀랐잖아요."
"나 안 보고 싶었어요?"
"어디 갔다가 이제 와요......."
"오늘 저녁에 돌아오려고 했는데 왠지 저 오토바이가 우리 집으로 가는 것 같아서 뒤에 타고 왔는데 역시였네요. 나 없어도 밥은 잘 챙겨 먹어야죠."

"죄송해요."

"뭐 그런 걸 사과하고 그래요. 아직 사과할 거 남았잖아요. 원래 계획했던 것보다 일찍 들어와서 저 아직 화 안 풀렸으니까. 빨리 안아줘요."

그녀는 양팔을 벌리고 눈을 감았다. 나는 머뭇거리다가 손에 들린 비닐 봉투를 바닥에 내려놓고 그녀를 안았다. 그녀도 벌렸던 팔을 내 등 뒤로 둘러 나를 살포시 안아 주었다.

"별거 아닌 걸로 화내서 미안해요. 제가 이런 거에 좀 민감해서. 나중에 다 설명 드릴게요. 미안해요."

"괜찮아요. 보고 싶었어요."

"저 돌아왔으니까 이제 밥 먹어요. 배고프겠다."

잠깐 사이에 불어버린 짜장면을 먹으며 소현씨에게 다음 주에 있을 동창회에 대한 이야기를 꺼냈다.

"다음 주 토요일이요? 누구누구 오는데요? 지은씨도 오시려나?"

"소현씨 화 풀린 거 맞죠?"

"농담이에요. 갔다 오세요. 그전에 저랑 놀이공원 갔다 오기."

"네. 그럼 이번 주말에 갔다 올까요?"

"좋아요!"

소풍 전날 설레어하는 어린 소녀처럼 웃는 그녀가 돌아왔다. 역시 그녀는 내 일상에서 빠질 수 없는 일부가 되어 버렸다. 마음 한편에 자꾸만 신경 쓰이는 말은 있었지만 애써 무시했다. 어차피 별로 중요한 것도 아니니까. 사소한 싸움은 가능한 피하고 싶었다. 소현씨와 함께할 시간이 많이 남지 않았으니까. 그녀에게 있어서는 이승에서의 마지막 날들이기에 작은 상처라도 주고 싶지 않았다. 그렇게 별 일 없이 주말이 찾아왔다. 언제나처럼 잔뜩 들뜬 소현씨가 나를 깨웠다. 내 위에 올라타 어깨를 흔드는 소현씨가 무겁지는 않지만 이젠 하룻밤 자고 나면 온 몸이 욱신거린다. 눈을 비비며 창밖을 봤더니 아직 해도 뜨지 않아 어두컴컴했다.

"소현씨, 지금 몇 시에요?"
"아침 6시요!"
"6시면 보통 새벽이라고 하지 않나요······."
"그렇긴 한데, 놀이공원 가려면 일찍 가야 줄 안 서잖아요."
"알았어요. 준비하고 올게요."

잠이 덜 깬 채로 차에 오르니 이제 해가 떠오르려 한다. 그래도 차가 있으니 편하긴 하다. 지하철을 힘들어 하는 소현씨도 차로 이동을 할 때는 안정이 느껴진다. 평일 아침이지만 출근 시간과 겹쳐 버려서 그런지 차가 상당히 막혔다. 라디오를 틀어 놔도 특별히 재밌다 할 만한 것도 없고, 조용한 분위기가 불편해져서 소현씨에게 말을 걸었다. 이전부터 신경 쓰였던 걸 하나 해결하고 싶었다.

"그런데 소현씨 있잖아요. 신경 쓰이던 게 있는데."

"네 뭔가요?"

"소현씨가 그래도 저보다 누나이신데, 말을 편하게 하셔도 되지 않나 싶어서요."

"아 그거요. 저는 이게 편한데 혹시 불편하신가요?"

"아니요. 그런 건 아니고 그래도 사귀는 사이인데."

"그래도 너무 정들지는 말자고요 우리. 떠날 때 힘들어요."

"그렇다면 그렇게 해요."

 

얼마 전까지만 해도 가까워졌다고 느꼈는데 다시 거리감이 느껴졌다. 그녀와 나 사이에는 누구보다 높은 벽이 있다. 삶과 죽음이라는 넘을 수 없는 벽. 내 옆에 있고 나와 대화를 나누고 손을 잡고 함께 잠을 자고 지금도 놀이공원에 가고 있지만, 언젠간 떠내 보내야 하는, 다시 만날 수 없는 그런 존재이다. 생사를 넘어선 이별이라는 결말이 기다리고 있는 연애에 지나친 로맨스는 허락 되지 않는다. 환상 같은 일상에 잠시 현실을 잊고 살고 있었다. 리스트의 반을 수행해 가는 지금, 가까워진 우리는 다시 멀어질 준비를 해야 한다. 자석이 가까이 붙으면 결국 다시 서로를 밀어 내듯이. 한 걸음씩 걸어 드디어 닿았는데, 운명은 거기까지라 말한다. 내가 입술을 깨무니 소현씨가 걱정스러운 표정으로 바라본다. 나도 더 이상 아무 말 하지 않았다. 아직 갈 길이 멀다. 그렇기에 시간이 점점 더 느리게 가는 것처럼 느껴진다. 그동안 신경 쓰지 않았던 그녀와의 이별이라는 새로운 가시가 가슴에 박혀 버렸다. 차라리 지금처럼 시간이 느리게 갔으면 좋겠다. 처음엔 무섭고 귀찮았지만 이제는 그녀를 보낼 준비가 되지 않았다. 차가 거북이처럼 움직여도 달리다 보면 결국 목적지에 도착한다. 놀이공원에 내리자마자 소현씨는 좀 전의 어색한 분위기가 무색하게 밝은 목소리로 나를 잡아끌었다. 갑작스런 분위기 변화였지만 일단은 오늘을 즐기기로 마음을 먹었다. 얼마만의 놀이공원인지도 모르겠으니까. 하루 쯤은 나도 아무 생각 없이 놀고 싶을 때가 있다.

 우선 표를 구매해야 하니 매표소로 이동했다. 몇 년 사이에 입장료도 많이 올랐다고 생각하며 한 장을 사서 돌아서니 소현씨가 불만 가득한 표정으로 나를 바라보고 있었다. 그녀의 반응에 의아해져 고개를 갸우뚱하며 물었다.

"소현씨 무슨 일 있어요?"
"왜 표 한 장만 사요? 저도 있잖아요."
"그야 눈에 보이는 건 저 뿐이니까요."
"그렇지만 저도 들어가는 거잖아요. 그럼 표를 두 장 사야죠. 지호씨 나쁜 사람이에요?"
"아니요. 그건 아니죠. 그럼 소현씨 표도 사올게요."

 그제야 소현씨는 만족스럽다는 표정을 지었고, 분명히 혼자 왔는데 표를 두 장 사는 나는 매표소에서도 입장확인을 할 때도 어딘가 문제 있는 사람이 아닐까 하는 의심스러운 눈빛을 받을 수밖에 없었다. 그래도 신나하는 소현씨를 보며 나도 따라 미소를 짓는다. 어찌나 들떴는지 가만히 두면 풍선처럼 날아가 버릴 것 같은 그녀의 손을 잡았다.

 일찍 도착한 덕분에 아직 놀이공원을 이용 중인 사람은 거의 없다. 과장을 조금 보태서 우리 둘이 이곳을 전세 낸 것 같은 기분을 느끼며 천천히 놀이기구를 향해 걸어갔다. 어디선가 사람들의 즐거운 비명소리가 들려온다. 롤러코스터가 바람을 가르는 소리, 뒤따르는 함성. 맞은편에서 솜사탕을 든 남녀가 다가오고 소현씨는 눈이 초롱초롱해져 솜사탕에서 눈을 떼지 못한다. 오랜만에 느껴보는 동심이란 게 이런 건가. 마냥 모든 것이 즐거웠던 어린 시절을 나이를 먹어 간다는 이유로 벽장 안에 넣어 둘 수밖에 없었다. 부모님의 손을 잡고 오던 놀이공원은 며칠씩이나 놀 수 있을 것처럼 넓게 느껴졌는데, 지금은 커다란 솜사탕의 가격부터 걱정하는 어른이 되어 있었다. 오늘만큼은 어린아이로 돌아 가보자.

"소현씨, 우리 뭐부터 탈까요?"
"범퍼카요!"
"좋아요. 역시 활발한 걸 좋아하네요."
"범퍼카로 이리저리 들이 박으면 스트레스가 확 풀리잖아요."

 다행히 아직 범퍼카에도 줄을 선 사람들이 많지 않아서 금방 탑승할 수 있었다. 하지만 2인용 범퍼카들은 다른 사람들이 선점하는 바람에 어쩔 수 없이 내가 먼저 앉고 소현씨를 내 앞에 앉히는 수밖에 없었다. 앞에 보이는 것이라곤 소현씨의 검은 드레스 밖에 없는데 그녀는 자기가 운전 할 테니 아무 걱정하지 말라고 했다. 일단 출발은 했지만 앞이 보이지 않는다는 것은 상상 이상의 공포감을 주었다. 언제 누구와 부딪칠지 마음의 준비를 할 수 없기에 조마조마한 심장은 충돌의 순간에 널뛰기를 해댔다. 5분도 안 되는 짧은 시간이었지만 심장은 50분은 달린 것처럼 뛰었다. 원래 놀이공원이 이렇게 무서운 곳이었나. 소현씨는 신이 나서 다음 놀이기구를 향해 달려갈 기세였지만 나는 놀란 가슴을 안정시킬 여유가 필요했다. 잠시 벤치에 앉아 심호흡을 하고 소현씨는 내 옆에 앉아 흥을 주체 못하고 다리를 쭉 펴서 양발을 번갈아 가며 흔들었다. 다음 순서는 뭘까?

"다음은 뭐 타러 갈까요?"
"놀이공원은 역시 롤러코스터죠."

벌써 올 것이 왔구나. 마음속으로 깊은 한숨을 내쉬었다. 어릴 때도 무서워서 못타본 롤러코스터인데, 여전히 처음 타보는 것에 대한 공포감에 발이 쉽사리 떨어지지 않았다. 대기를 하고 우리가 탈 차례가 되자 소현씨가 내 표정을 읽었는지 엄지를 치켜세우며 말했다.

"걱정 마세요 죽기야 하겠어요?"

나는 어색한 웃음으로 대답을 대신했다. '그렇게 말해주니 정말 안심이 되네요.' 라고 생각하며 일단 자리에 앉았다. 다행히도 내 옆에 아무도 앉지 않아 소현씨와 나란히 앉아서 탈 수 있었고 안전장치가 내려오기 위해 덜컹 거리는 소리에도 놀라는 나를 위해 그녀가 가만히 손을 잡아 주었다. 조금은 안심이 되었지만 이내 강렬한 마찰음과 함께 내 생에 첫 롤러코스터가 출발했다. 덜컹 거리는 기계음이 긴장감을 고조 시켰다. 마찰음이 손톱으로 칠판을 긁는 소리처럼 날카롭다. 고도가 높아짐에 따라 나는 신경이 곤두서고 몸이 빳빳해져 갔지만 소현씨는 벌써부터 손을 치켜들 준비를 하고 있었다. 점점 고점이 시야에 들어오자 나는 들어줄 사람도 없는 회개기도를 읊었다. 하지만 기도가 나를 구원해주기에는 이미 너무 멀리 왔고 롤러코스터의 선두가 내 시야에서 사라지고 몸이 아래를 향하기 시작하자 더 이상 아무 생각도 할 수 없었다. 몸이 가볍게 뜨는 느낌 직후에 머리가 뒤로 젖혀지며 정신도 날아간다. 패닉 상태에 빠진 나 그리고 환희에 가득 찬 소현씨, 우리 둘의 비명이 교차하며 엄청난 속도로 하강했다. 저점을 찍고 다시 올라 갈 때 나의 비명은 살려달라는 애원으로 바뀌어 있었지만 소현씨는 맞잡은 손을 번쩍 들어 올리며 스릴을 즐기고 있었다. 그 이후로는 기억이 나지 않는다. 기절을 한 건 아니지만 뇌가 더 이상의 공포를 받아들이기를 거부했다. 겨우 정신을 차렸을 때는 소현씨의 손에 이끌려 벤치에 주저 앉았을 때이다. 초점 없는 눈으로 겨우 물을 한모금 삼켰다.

"지호씨 많이 무서웠죠? 미안해요. 이정도일 줄은 모르고."
"괜찮아요. 처음이라 더 그랬던 것 같아요."
"한 번 더 타고 싶은데 힘들겠죠?"
"네....... 저는 여기서 기다리고 있을 테니까. 혼자서라도 타고 오실래요?"

"아니요. 데이트하러 나온 건데 그럴 수는 없죠. 잠깐 쉬었다가 다른 거 한 번 타고 밥이나 먹어요."

"네. 저 조금만 쉴게요. 속이 너무 울렁거려서."

비틀 거리는 나를 소현씨가 자신의 허벅지 위에 눕혔다. 부드러운 감촉에 금방이라도 잠이 들 것 같았지만 소현씨를 밑에서 올려다보려니 민망해져서 자세를 고쳐 다시 앉았다. 롤러코스터의 후유증인지 심장이 두근 거린다. 얼마나 놀랐는지 열도 살짝 나는 것 같다. 이마를 짚으며 등을 뒤로 기댄다. 현기증은 덤인가.

"누워 있으셔도 괜찮은데."

"아니에요! 보는 눈도 있고."

"어차피 저는 안 보이는데, 아하, 우리 지호씨 부끄럽구나."

나는 얼굴을 붉히며 정면을 응시했지만 장난기가 오른 소현씨는 게슴츠레한 눈으로 나를 바라보며 가까이 다가왔다. 음흉한 웃음소리를 내며 그녀가 양팔로 나의 팔을 감싸 안았기에 나는 고개를 돌려 버렸고 소현씨는 그런 반응을 즐기는지 소리 내어 웃었다. 그녀의 능숙한 장난에 나는 오늘도 속수무책이다. 나도 더 이상 당하고만 있을 수는 없다고 생각하고 용기를 냈다. 눈을 질끈 감았다가 고개를 확 돌려 소현씨와 얼굴을 가까이 맞붙였다. 눈을 다시 떠보니 그녀와 나 사이의 거리는 코가 살짝 맞닿을 정도의 거리. 고개를 조금만 젖히고 다가가면 입술이 충분히 닿을 것이다. 하지만 그 이상의 용기는 나지 않았기에 조심스레 소현씨의 반응을 살폈다. 휘둥그레진 토끼눈으로 나를 응시했다가 시선을 아래로 내리며 자연스럽게 눈을 감는다. 얼굴엔 아직 설익은 복숭아 정도의 홍조가 살짝 올라온다. 그리고 그녀가 겨우 들릴 법한 목소리로 말했다.

"...... 해도 되는데......"
"네?"
"키스....... 해도 괜찮아요......."

그 말에 심장이 엇박자를 내며 크게 뛰었다. 술에 취한 사람이 비틀 거리는 속도로. 동시에 피가 빠르게 돌며 온몸에 열이 난다. 지금 해도 괜찮은 걸까? 지나가는 사람들이 나를 이상하게 보지 않을까? 그것보다 그녀는 정말 괜찮아서 그렇게 말한 걸까? 내가 장난을 쳤다고 받아치는 건 아닐지. 심장박동은 점점 빨라지는데 머리에선 피가 빠져 나간다. 그녀의 입술도 손처럼 부드러울까? 첫 키스라는 거 대체 어떤 느낌인지. 여전히 눈을 감고 가만히 있는 그녀를 보고 나도 눈을 감았다. 더 이상 고민하지 말고 직접 확인해 보면 되는 거다. 고개를 내밀었지만 나의 입술은 허공을 갈랐고 덕분에 균형 감각을 잃고 앞으로 꼬꾸라질 뻔 했다. 깜짝 놀라 눈을 떠보니 소현씨는 내 앞에 없었고 등 뒤에서 그녀가 내 어깨 위로 기대며 장난기 가득한 목소리로 말했다.

"숙녀가 큰 맘 먹고 입술을 내줬는데 거기서 고민하면 안 되죠. 아쉽지만 다음 기회에."

"아니. 그. 저는 처음이잖아요."

"그럼 더더욱 다음에 해야겠네요. 좋은 곳, 좋은 분위기에서, 이제 속도 괜찮아 지신 것 같은데 가볼까요?"

나는 기운 빠진 목소리로 대답하고 그녀의 뒤를 따랐다. 자이로드롭에서 혼을 한 번 더 빼고 난 뒤에서야 밥을 먹을 수 있는 시간이 되었다. 솔직히 지금 정신 상태로는 밥이 어디로 들어가는지도 모를 것 같지만 소현씨는 준비해 온 것이 있다며 가방을 열어 보라고 했다. 핑크빛 보자기로 싸놓은 도시락이었다. 내가 일어나기도 전에 소현씨는 도시락을 준비하고 있었구나. 잠들 수 없는 그녀에게 밤은 길고 점심식사를 준비하는 시간도 짧게 느껴졌을 것이다. 감사를 표하며 뚜껑을 여니 하얀 쌀밥과 함께 계란말이와 소시지 구이, 볶음김치가 차곡차곡 들어 있었다. 간단하지만 한 끼로 손색이 없다. 오히려 정성까지 생각하면 과분할 정도. 냄새를 맡으니 배가 고파져 허겁지겁 먹기 시작 했더니 소현씨는 나를 흐뭇하게 바라보았다. 밥을 다 먹고 나니 소현씨가 이제는 격한 놀이기구 타면 속이 뒤집어 질 테니 회전목마를 타러 가자고 했다. 회전목마라면 좀 지루한 감은 있겠지만 이미 나도 즐길 대로 다 즐긴 것 같다.

회전목마는 평화롭게 돌고 있었지만 그 앞은 줄 선 사람들이 없어 조용했다. 표를 확인하는 직원도 지루했는지 꾸벅꾸벅

졸다가 나를 발견하고 문을 열어 주었다. 덕분에 소현씨와 단둘이 즐길 순 있겠지만. 소현씨는 호박마차 안에 그리고 나는 그 마차를 이끄는 말에 앉으니 목마가 위 아래로 움직이며 회전하기 시작했다. 몸이 위 아래로 흔들리니 어릴 적 기억이 어렴풋이 떠올랐다. 부모님과 함께 왔을 때는 키가 작아서 혼자 올라타지도 못했었는데, 지금은 목마가 내려 갈 때마다 발끝이 땅에 살짝 닿는다. 나를 번쩍 들어 올려 자신 앞에 앉히고 등 뒤에서 어깨를 잡아 주시던 아버지. 나를 위해 자리를 양보한 형과 함께 마차에 타고 계시던 어머니. 오랜 시간 잊고 있었던 추억에 잠기려는데 뒤에서 '이랴, 이랴'를 외치는 소현씨 덕분에 회상에서 깨어났다. 고개를 슬쩍 돌려 보니 이 상황을 진심으로 즐기고 있는 그녀가 부러웠다. 어린 시절의 기억에서 돌아온 나는 '다 큰 남자 혼자서 회전목마를 타는' 상황을 보는 사람들의 시선이 신경 쓰이기 시작했다. 대부분의 사람들은 관심도 없이 지나가지만 흘긋 거리며 보고 가거나 내 모습을 보고 수근 거리는 사람들은 날 보며 무슨 생각을 하는지 궁금해진다. 죄를 지은 것도 아닌데 고개를 푹 숙이게 된다.

하지만 안타깝게도 나의 수난은 거기서 끝나지 않았다. 오늘부로 나는 놀이공원을 싫어할 것이다.

이제 집으로 돌아가려는데 평소 공연을 하는 것 같은 무대에서 이벤트를 하고 있는지 많은 사람들이 그 앞에 모여 있었다. 나는 피곤하기도 하고 별 관심 없었기 때문에 그냥 지나가려 했지만 소현씨가 나의 옷소매를 잡았다. 살짝 뒤돌아

봤더니 소현씨가 손가락으로 무대 위를 가리켰다. 그녀의 손끝을 따라 시선을 옮기니 사회자 옆에 있는 커다란 곰 인형이 보였다.

"저거 갖고 싶어요?"

그녀는 눈을 반짝이며 고개를 끄덕였다. 순수한 그 눈빛에서 간절함이 느껴졌다. 이렇게 까지 갖고 싶어 하는데, 사실 내가 그녀에게 뭔가 선물한 적도 없고 그녀에게도 기억에 남는 선물이 될 것 같으니 한 번 도전해 보자. 그런데 뭘 해야 받을 수 있는 거지? 어찌할 바를 몰라 미어캣처럼 고개만 내밀고 두리번거리고 있으니. 사회자가 마이크를 잡고 모두의 이목을 집중시켰다.

"자, 제가 여기 올라와 보니 오늘도 많은 선남선녀 커플 분들이 오셨군요. 그런 여러분들을 위해서 작은 행사를 준비했습니다. 바로 댄스 배틀! 하지만 늘 그렇듯이 여성분이 춤을 추는 건 재미가 없잖아요? 오늘은 남자친구 분들께서 자신의 사랑하는 애인을 위해 여기서 춤을 추고 경품을 가져가 보는 시간을 가지도록 해보겠습니다."

나는 그 말을 듣자마자 슬그머니 빠져 나가려고 했지만 소현씨가 다시 나를 붙잡았다. 이번엔 나를 껴안으면서 까지 자신의 간절함을 표현했다.

"저 인형 너무 귀엽단 말이에요. 춤 한 번만 춰주세요."
"근데 저 살면서 춤이란 걸 춰 본 적이 없어요. 몸도 완전 뻣뻣하고."
"괜찮아요. 제가 잘 추니까요."
"네?"
"저만 믿고 무대 위로 올라가 보세요."
"그러니까 그게 무슨 뜻이에요? 춤은 제가 춰야 하는데."
"피아노 쳤을 때 기억나죠? 그렇게 하면 돼요."

무슨 말인지 이해가 되지 않았지만 등을 떠밀려 무대 위로 올라갔다. 나를 포함해서 다섯 명의 남자가 올라왔고 한 명은 무대 아래 여자 친구에게 손을 흔드는 여유를 보였지만 다른 사람들은 무대 공포증이라도 겪는지 어찌할 바를 몰라 안절부절 못하고 있었다. 그건 나도 마찬가지였고 두 무릎은 떨리다 못해 서로 부딪히는 지경까지 이르렀다. 그런 우리가 안쓰러워 보였는지 사회자가 긴장을 풀어주겠다며 어디에서 왔는지 그리고 연애는 얼마나 했는지 간단하게 자기소개를 하는 시간을 가지자고 했다. 내 반대편에서부터 시작해 나의 차례는 마지막이었다. 앞의 사람들이 소개하는 걸 들어보니 대부분 이 근처에서 온 사람들이었고 연애기간은 몇 달에서 길게는 몇 년까지 다양했다. 이윽고 내 차례가 찾아왔다.

"네 마지막 분. 어디에서 오셨나요?"
"저는 신림에서 왔습니다."
"오시느라 고생 많으셨겠습니다. 여자친구분과는 얼마나

되셨나요?"

"아직 한 달이 안 되었네요."

"오늘 오신 분들 중에서 가장 최근에 탄생한 커플이시군요! 건투를 빌겠습니다. 마지막이시니까 특별히 무대 아래에서 보고 있을 여자 친구에게 한 마디 하실까요?"

당장 할 말이 떠오르지 않아 두리번거리며 소현씨를 찾았지만 보이지 않았다. 어디로 사라진 거지? 키가 작아서 안 보일 수도 있지만 그녀의 성격이라면 맨 앞에 와서 보고 있을 텐데. 그냥 내가 못 찾은 거라고 결론을 내리고 아무 말이나 내뱉었다.

"어....... 안 보이는데 아마 화장실이라도 간 거 아닐까요?"

"아. 네. 뭐. 마지막 순서시니까 그 전에는 돌아오실 것 같네요."

사회자가 진행을 위해 다시 처음 자리로 돌아가자 어디선가 소현씨의 목소리가 들렸다.

"지금 무슨 말을 하시는 거 에요!"

"소현씨?"

어디서 들린 거지? 앞이나 뒤 양옆도 아니었다.

"여기에요 여기."

울리는 것 같은 그녀의 목소리에 집중해 따라가 보니 그 목소리는 내 머릿속에서 들려오고 있었다. 무슨 일이 벌어지고 있는 건지 몰라 멍하니 서 있자 소현씨의 설명이 이어졌다.

"지금 빙의한 거 에요."
"네? 영화에서만 보던 걸."
"그러니까 지호씨는 온 몸에 힘 빼시고 저한테 맡기시면 되는 거 에요."

나는 그녀의 조언대로 심호흡을 하며 팔다리를 털었다. 제자리에서 가볍게 뛰며 최대한 온 몸의 힘을 빼고 있는데 내 바로 앞 남자의 춤을 보자마자 다시금 긴장할 수밖에 없었다. 우리 중 유일하게 여유를 보였던 그는 자신감의 근거를 춤으로 보여줬다. 절도 넘치는 그의 동작에서는 힘이 느껴졌고 큰 동작 없이 무대를 가득 채우는 카리스마를 가지고 있었다. 최소 어딘가의 댄스 팀에 소속 되어 이런 무대가 낯설지 않았을 것이다. 소현씨는 자기에게 맡기라고 했지만 나는 긴장감을 내뱉기 위해 숨을 빠르게 쉬었다. 하지만 심호흡은 그다지 도움이 되지 않고 당장에라도 뛰어 내려가고 싶어진 순간에 나의 차례가 와 버렸다. 어쩔 수 없이 체념하고 소현씨에게 몸을 맡기니 정말로 내 의지와는 별개로 몸이 움직이기 시작했다. 신체적 한계에 부딪혀 몇몇 동작에선 몸이 삐걱 거리긴 했지만 내가 추는 거라곤 믿기지 않을 움직임이 나왔다. 신기해하던 중 뭔가 이상함을 느꼈다.

"소현씨! 이거 걸 그룹 춤이잖아요!"
"네. 맞아요. 저는 걸 그룹 춤 밖에 몰라요."
"심지어 이거 제가 군대에 있을 때 유행하던 건데."
"요즘 아이돌은 잘 몰라서......."

오늘만 공개처형을 몇 번 당하는 건가....... 만약 여기에 내가 아는 사람이 있었더라면 나는 사회적으로 매장 되었을 것이다. 결국 마음속으로 흘린 눈물과 체념으로 얼룩진 춤사위가 끝이 나고 1초라도 빨리 내려가고 싶다는 생각만 가지고 고개를 숙이고 있었다. "오늘의 1등은 이 분입니다!" 라는 말이 들렸을 때도 나는 당연히 내 앞에서 멋있게 춤을 췄던 그가 1등이라 생각하고 고개를 들지 않았다. 그런데 사회자가 내 어깨에 손을 올리며 축하 인사를 건넸을 때 비로소 내가 1등을 차지했다는 사실을 알게 되었다.

"네? 저요?"
"네. 남자분이 추시긴 어려운 춤이었을 텐데, 너무 잘 추셨고 덕분에 여자 친구를 얼마나 사랑하는지 잘 보여서 1등으로 뽑히셨습니다. 사은품으로 2인 자유이용권을 드리겠습니다."
"감사합니다."

나도 모르게 표를 받아 들려는 순간 소현씨의 목소리가 들렸다.

"지호씨. 그거 말고 곰 인형이요."

"아. 맞다. 혹시 저기 있는 곰 인형으로 가져가도 될까요?"
"저건 2등 상품인데, 2등 하신 분 바꾸셔도 괜찮으실까요?"
"네, 저도 자유이용권이 더 좋으니까요."

　그렇게 내 손에 곰 인형이 주어졌고 그걸 받아든 나는 양팔로 인형을 끌어안고 제자리에서 방방 뛰었다. 소현씨. 아직 내 안에 있었지 참. 겨우 내 몸을 억누르니 무대 위의 모든 사람들이 휘둥그레진 눈으로 나를 바라보고 있었고 나는 부끄러움에 인형으로 얼굴을 가리고 밖으로 뛰어나갔다. 앞이 잘 보이지 않아 넘어 질 뻔 했지만 무작정 달렸다. 정신이 들었을 때 나는 이미 주차장까지 와 있었고, 소현씨는 여전히 보이지 않았다. 차 앞에 서서 숨을 고르고 있으니 소현씨가 말했다.

"지호씨 저 아직 안 나갔어요. 잠시만 가만히 있어주세요."

　곧바로 소현씨가 내 눈앞에 나타났다. 아무것도 없던 곳에서 말 그대로 뿅 하고 등장하는 모습에 이젠 더 놀랄 것도 없겠지 라는 생각이 들었다.

"저 춤 잘 추죠?"
"네....... 잘 추는 건 맞는데 저 부끄러워서 죽는 줄 알았어요."
"미안해요. 인형이 너무 귀여워서."

　나에게서 인형을 받아 끌어안고 몸을 좌우로 흔드는 소현씨의 귀여움은 심장에 굉장히 유해했다. 갑작스런 충격을 받은 심장을 부여잡으며 누군가 공중에 떠 있는 곰 인형을 보기 전에 소현씨를 차에 태우고 시동을 걸었다. 오늘 하루 동안 겪은 모든 치욕이 한 순간에 씻겨 나갔다. 이 정도면 오히려 보람차지. 왼손으로 운전대를 잡고 오른손으로 그녀의 머리를 쓰다듬으려다가 멈칫하고 손을 내려 곰 인형을 만지작거렸다. 오늘도 정말 많은 일이 있었다. 나이를 먹는다는 이유로 잊고 지내던 동심을 조금이나마 떠올렸지만 옷장에서 묵혀둔 교복을 꺼내 입듯 몸에 맞지 않는다는 불편한 느낌을 떨쳐 낼 수 없었다. 돌아갈 수 없는 시절도 나에게 돌아오기를 거부했다. 정말이지. 누구의 시선도 신경 쓰지 않아도 되는 소현씨가 부러워졌다. 이 이상 슬퍼지기 전에 다시 운전대를 잡고 집으로 향했다. 집에 가는 길이 너무 멀다는 노래가사가 어디선가 들려오는 것 같았다. 정작 차가 막히지 않으니 30분도 안 걸려 도착한 집은 잠시나마 흥얼거린 노랫말을 무색하게 만들었다.

소현씨와의 약속은 지켰으니 그녀도 약속한대로 내가 동창회에 가는 것에 대해 아무 말도 하지 않았다. 정확히는 내가 문을 나서는 순간까지 나에게 매달려 있었지만 아무 말은 하지 않았다. 소현씨를 떼어내 놓고 차에 시동을 걸었다. 한손을 운전대에 올리니 갑자기 한숨이 나왔다. 형에게 빌린 정장과 자동차. 하지만 동창회에 나온 친구들 앞에서는 이게 다 내 것인 척 해야겠지? 어차피 동창회라지만 오늘이 지나면 또 만날 일 없을 테니까. 하루만 거짓말쟁이가 되면 된다. 부끄러운 진실보다는 당당한 거짓말이 나을 수도 있으니까. 보는 사람은 없지만 어깨를 펴고 운전을 시작했다. 약속 장소에 생각보다 일찍 도착해 할 일이 없어 핸드폰을 만지다가 문득 여기까지 지하철로 오면 얼마나 걸릴까 궁금해져 검색을 해봤다. 1시간 가까이 걸리는 거리. 이른 시간에 도착한 건 어쩌면 당연한 일일지도. 남은 시간 동안 보고 있던 영화라도 마저 볼까 하고 핸드폰을 들었는데 내 앞에 익숙한 얼굴이 나타났다. 10년이란 시간이 지났지만 어른스러워졌다는 것 외엔 그대로인 얼굴 덕분에 바로 알아 볼 수 있었다.

"지은아?"
"어? 너 지호 맞지?"
"너도 바로 알아보네. 반가워."
"너도 엄청 일찍 왔네. 다른 애들은 아직 안 온 거지?"
"응. 우리가 제일 먼저 온 것 같은데."
"그럼 기다려보자, 몇 명이나 올지 기대된다."

 학창시절 때도 항상 친구들에게 둘러싸여 환한 미소를 짓던 내가 좋아했던 그 얼굴이다. 정말 하나도 안 변했구나. 그 시절의 감상에 젖어 지은이의 얼굴을 너무 오래 쳐다보고 말았다.

"무슨 생각해?"
"어? 그냥 옛날 생각."
"우리 학교 다닐 때? 난 그때 뭐했는지 이제 가물가물하더라."
"오래 되긴 했지. 그럼 요즘은 뭐 하고 지내?"

"그냥 평범하게 회사 다니고 있지. 너는?"
"나도 회사 다니지."

 거짓말은 자연스럽게 나왔지만 시선이 갈 곳을 잃었다. 그녀의 눈을 똑바로 볼 수가 없어 시선을 내리고 테이블 위에서 불안하게 맞잡은 손을 바라봤다. 이어지는 회사생활에 대한 푸념과 나에 대한 질문에 대해 대충 얼버무리기도 한계라고 느끼려던 찰나 새롭게 등장한 친구가 말을 끊어주었다. 나에게 동창회에 대해 알려준 정우였다. 이 순간만큼은 그 어느 동창보다 반가웠다.

"여. 둘 다 일찍 왔네."
"어? 많이 본 얼굴인데 누구더라?"
"섭섭하다. 나를 못 알아보다니. 나 정우야. 이정우."
"아! 뭐야 너무 달라져서 못 알아봤잖아."
"그러는 넌 하나도 안 변했다. 지은아."
"역시 바로 알아보네."
"당연하지. 지호는 그나마 최근에 봤고. 군대 가기 전이었나?"
"그것도 벌써 6년 전이네."
"세월 참. 아 맞다. 오늘 모이는 거. 우리 셋이 끝이니까. 일단 밥부터 먹자."
"진짜? 난 애들 많이 올 줄 알고 기대하고 있었는데."

 그렇게 말하는 지은이의 목소리에서 실망감이 느껴졌다. 그녀도 누군가 만나길 기대한 사람이 있었을까.

"다들 바쁜가봐. 주말인데 일 한다는 애들도 있고, 좀 일찍 결혼한 애들은 가족들이랑 보내야 된다더라."
"그렇구나. 어쩔 수 없지."

　나도 쓴 목소리를 냈지만 앞선 두 사람과는 그 의미가 달랐다. 일, 결혼, 둘 다 나에겐 먼 이야기이지만 한 때 한 교실에 앉아 공부하던 친구들 중 벌써 두 가지를 모두 이룬 이들도 있다는 것에 대한 회의감의 쓴맛이었다. 입안에 담배연기가 가득찬 듯한 찝찝함. 두 친구는 아쉬워했지만 나는 오히려 다행이라 생각했다. 조금 전까지만 해도 반가웠던 친구들의 얼굴이 갑자기 일그러진 모습으로 나를 비추는 거울처럼 느껴져 자꾸만 고개를 떨궜다. 식사를 주문하고 정우가 던진 화두로 10년 동안 묵혀둔 서로의 근황을 이야기하기 시작했다. 특히 오랜만에 만난 지은이가 우리 둘에게 많은 질문을 던졌다. 졸업 후 생활은 어땠는지, 군대는 갔다 왔는지, 지금은 어떤 일을 하는지, 통상적인 안부처럼 느껴질 수 있는 질문들에도 그녀는 호기심 가득한 눈빛으로 우리의 이야기를 들어주었다. 물론 나의 이야기는 군대 이후로는 오면서 지어낸 거짓말이지만 그녀는 순진하게도 믿어 주었다. 어차피 오늘 하루만 거짓말쟁이가 되면 되니까. 지은이의 미소가 밝아질수록 가짜 표정 아래 나의 진짜 얼굴은 점점 어두워진다.

"그럼 둘은 만나는 사람은 있어?"
"나는 얼마 전에 헤어졌어."

정우가 먼저 대답을 하자 지은이가 이번에는 나를 바라보았다.

"나는 좀 애매해 지금."
"애매하다니? 아직 사귀는건 아니라?"
"글쎄, 뭐라고 해야 할까?"

그 순간 팍하고 떠오른 단어가 하나 있었다. '계약연애', 어떻게 보면 지금 나와 소현씨의 관계를 가장 잘 설명할 수 있는 단어 아닌가? 그녀의 승천을 목적으로 끝이 정해진 목적과 결과가 분명한 그런 관계. 하지만 좋은 생각은 아닌 것 같아 고개를 급하게 저었다. 그렇게 생각하면 너무 의무적인 일로 느껴지니까. 듣는 입장에서도 시기가 정해진 연애를 정상적으로 받아들여 줄 리가 없다. 지금은 친구들과의 대화에 집중하자. 내가 고개를 들고 억지 미소를 지으니 둘의 표정이 순간적으로 굳었지만 딱 맞게 등장한 식사가 어색한 분위기를 와해시켜주었다. 밥을 먹기 시작하자 대화가 급격히 줄어들었다. 침묵을 지우기 위해 숟가락 소리만 더 요란해진다. 오랜만이라 반갑다고는 했지만 막상 할 이야기가 떨어지니 어색함만 남을 뿐. 더 나아가 3명이란 숫자는 동창회라고 부르기도 민망할 정도다. 중간 중간 분위기를 바꿔 보려는 노력은 있었으나 결국 정우는 식사를 마치고 다음 일정이 있다며 자리를 비웠다. 나도 자연스레 집으로 돌아갈까 했으나 지은이는 아쉬움이 남았는지 둘이서 커피라도 한 잔 하자며 나를 근처 카페로 데려갔다. 먼 거리는 아니었지만 어느새 서늘한 가을바람이 불기 시작했고 아직 계절의 흐름을 따라가지 못해 얇은 옷을 입고 나온 우리에겐 닭살이 돋게 할 만큼의 차가움이었다. 오돌토돌 해진 팔을 손으로 쓰다듬으며 진정 시키고 있는데 내 손이 아닌 또 하나의 손이 나의 팔을 감으며 들어왔다. 깜짝 놀라 옆을 보니 지은이가 나와 팔짱을 끼고 있었다.

"생각보다 춥다 이제."
"그, 그러게."

갑작스런 스킨십에 나는 반응조차 제대로 하지 못했다. 팔짱을 끼고 있어도 체온이 없는 소현씨와는 다르게 처음 닿는 순간엔 차가움에 움츠러들었지만 두 사람의 피부가 서로 맞닿자 체온을 공유하며 금세 따뜻해졌다. 이게 살아있는 여자의 감촉이구나. 팔에서부터 따스해진 피가 심장을 돌아 얼굴로 올라왔는지 볼이 달아올랐다. 하지만 표정 변화 없이 차분한 지은이를 보니 나 혼자 섣부른 착각을 하는 것 같아 앞만 보고 걷기 시작했다. 우리 두 사람은 아무 말 없이 걷기만 했다. 나는 이 상황을 이해하려고 열심히 노력했다. 보통 친구 사이에 팔짱을 끼나? 오랜만에 만나서 오히려 그런 마음이 없는건가? 때마침 도착한 카페의 문을 그녀가 먼저 열고 들어가는 순간에도 팔을 놓지 않아 끌려 들어가는 모양새로 혼자만의 생각은 날아가 버렸다. 주문을 할 때도 오히려 더 가까이 붙어 나를 올려다보며 "뭐 마실래?" 라고 묻는 그녀의 모습 때문에 바보처럼 "아무거나."라는 대답을 해버렸다. 지금 우리 모습. 누가 봐도 다정한 연인의 모습이겠지? 지은이는 오랜만에 만난 친구와 서슴없이 한 행동이겠지만 나는 음료를 받아든 그녀의 뒤를 따라가면서도 혹시나 하는 생각을 떨칠 수가 없었다. 테이블을 사이에 두고 마주 앉은 우리는 각자의 컵을 집어 들고 한 모금씩 맛을 봤다. 나는 긴장한 탓에 빨대를 입에서 놓지 못하고 있었지만 지은이는 컵을 내려놓고 상체를 기울여 오른손으로 턱을 괴며 나를 바라봤다. 누군가와 대화를 할 때 나오는 그녀의 버릇인 듯 했다.

"너 아까 말한 요즘 애매하다는 사람. 정확히 어떤 사람이야?"
"어? 갑자기 그런 질문은 왜?"

나는 예상 못한 질문에 당황했다. 왜 소현씨에 대해서 물어보는 거지? 이 질문은 아까 대충 넘어간 줄 알았는데. 좀 전의 순수한 호기심에서 나오던 눈빛은 사라지고 지금은 진실을 알아내기 위한 날카로운 눈빛이 나를 찔렀다. 정의의 여신이 눈을 가린 매듭을 풀면 저런 눈을 하고 있지 않을까. 거짓말을 했다간 그녀가 당장에라도 돌아서서 나가 버릴 것 같았다. 뭐라고 대답해야하지? 애초에 질문의 의도가 무엇일까?

"그냥 궁금해서."

내가 대답을 망설이자 그녀는 다시 커피를 한 모금 마셨다. 정말로 그냥 궁금해서 물어 보는 거라면 솔직하게 대답해도 되지 않을까? 거짓말쟁이가 되겠던 다짐이 흔들렸다.

어차피 이 자리엔 나와 지은이 둘 뿐이다. 굳게 달라 붙어있던 입술을 힘겹게 떼어냈다.

"계약 연애야."
 나는 소현씨에게 거짓말쟁이가 되었다.

"그럼 그 사람 사랑해?"
"잘 모르겠어."

 나는 나 자신에게 거짓말쟁이가 되었다.

 지은이의 표정이 한결 여유로워졌다. 원하는 답을 얻어냈다는 만족감이 드러나는 표정으로 나를 가만히 바라본다.

"진짜 이런 건 왜 물어보는 거야?"

 그녀는 내 질문에 대답하지 않았다. 대신 또 다른 질문을 던질 뿐이었다.

"너 고등학생 때 나 좋아했었지?"
"어. 그랬었지."
"지금도 좋아하나 궁금했었어. 나도 너 마음에 들었었는데 졸업하고 연락을 할 수가 없었으니까."
"진심이야?"
"10년 가까이 된 마음으로 장난 안쳐. 오늘 얘기 안 하면 다신 못할 것 같아서 한 거야."

 그녀는 등받이에 기대며 얼굴을 양손으로 가렸다. 부끄러워
어쩔 줄 몰라 하는 모습에 나도 괜스레 시선을 이리저리 돌렸
다. 길 잃은 두 시선이 거의 동시에 한 곳에서 멈췄다. 그녀는
심호흡을 몇 번 하더니 테이블 위에 놓여있던 내 핸드폰을 집
어 들고 자신의 번호를 입력해서 나에게 돌려주었다.

"대답 기다리고 있을 테니까 거기로 연락해."

 그렇게 말하고는 뛰어 가듯이 나가버린 그녀의 뒷모습을 바
라본 것이 나와 첫사랑 그녀의 재회였다. 지은이는 이미 떠났
지만 나는 잠시 앉아 생각을 정리했다. 잊고 살던 첫사랑이 나
타나 갑작스런 고백이라니, 그리고 귀신이라고 해도 나에겐
여자 친구가 있다. 그래도 산 사람과 연애를 하는 게 맞지 않
나? 사귀는 사이라고 해도 소현씨가 승천하게 되면 헤어지게
될 거고, 그때 가서 지은이와 만나도 되는 거 아닐까? 그런데
만약에 이 관계가 길어진다면, 지은이가 기다리지 못한다면,
정말 만에 하나 소현씨가 비밀로 하고 있는 10번째 소원을 빌
미로 나를 놓아주지 않는다면....... 여러 생각들이 충돌을 일으
켜 나는 양손으로 머리를 감쌌다. 혼자서 고민해봤자 답이 없
을 것 같아 집에 돌아가 결론을 지으려 했지만 내가 집에 도
착하자마자 먼저 말을 꺼낸 건 소현씨였다.

"오늘 동창회 재미있었어요?"

"저 포함해서 3명밖에 안 나와서 어색하기도 하고 그냥 그랬어요."

"그렇구나. 지은씨랑은 어떻게 할 생각이에요?"

"네? 지은이는 갑자기 왜?"

"사과 먼저 할게요. 오늘 왜인지 너무 불안해서 지호씨를 몰래 따라 갔었는데, 다 들었어요. 미안해요."

"왜 그랬어요?"

"죄송해요. 지호씨를 믿어야 하는데. 그게 잘 안 됐네요. 그래도 다시 한 번 물을게요. 지은씨랑 어떻게 할 거에요?"

"하....... 소현씨가 나한테 이런 질문을 왜 하는 거 에요?"

"네? 그야 저는 지호씨 여자 친구니까요."

"어차피 계약 연애잖아요. 제가 소현씨 소원 다 들어주면 떠날 거잖아요."

가슴 한 편에 계속해서 자리 잡고 있던 찝찝한 생각이 입 밖으로 나와 버렸다. 처음엔 묵은 때를 벗겨내듯 시원한 줄 알았는데. 굳어 버린 소현씨의 표정을 보자마자 잘못된 것을 알았지만 그땐 이미 늦은 뒤였다. 아차 싶었지만 말을 내뱉은 순간 늦어 버렸다. 그녀는 반쯤 벌렸던 입을 닫으며 고개를 돌리고 눈물을 훔쳤다. 세어 나오는 울음을 참느라 어깨가 불안하게 떨렸다. 나는 뒤늦게 그녀의 어깨라도 붙잡으며 사과하려 했지만 그 전에 소현씨가 나의 손을 뿌리쳤다. 감정을 억누르기 위해 거꾸로 내려간 그녀의 입 꼬리가 오히려 그녀의 감정을 더 잘 보여줬다. 이미 볼을 따라 흘러내리기 시작한 눈물을 그녀는 구태여 닦으려 하지 않았다. 그런 슬픈 눈으로 나를 똑바로 바라보며 나에게 느낀 배신감을 토해냈다.

"그게 그렇게 어려운 일이었어요? 그럼 처음부터 받아주지 말지. 나 좋아해주지 말지. 잠깐이면 되잖아요. 남은 소원 얼마나 된다고, 마음만 먹으면 하루 안에도 다 할 수 있는데, 그게 그렇게 어려운 부탁이었어요? 며칠만 더 나 좋아해주고, 같이 있어주고 그 다음엔 지은씨에게 가든 뭘 하던 난 아무것도 못하는데, 지호씨는 믿고 싶었는데. 나 정말 좋아하는 줄 알았는데. 그것도 살아있을 때의 나였던 거 에요?"
"저기......."
"마지막으로 물을게요. 저 정말 좋아했던 거 에요?"

그 작은 입술에서 나오는 단어 하나하나가 유리조각처럼 심장을 찔렀지만, 나는 대답하지 못했다. 내가 홧김에 내뱉은 한 마디가 그녀에겐 더 큰 상처였을 것이다. 몽둥이로 누군가를 때리고 부러진 파편에 손이 다쳤다고 해서 내 잘못이 사라지는 건 아니다. 이 순간에는 내가 부정할 수 없는 죄인이니까. 나 스스로도 내 마음을 모르겠다. 나는 대체 누굴. 아니 무엇을. 좋아한다고 생각했던 것일까. 대답 대신에 고개를 떨궜다. 하지만 소현씨는 그걸 대답으로 받아들이고 내 가슴에 오른손을 가볍게 올려 놓으며 말했다.

"알겠어요. 그럼 안녕."
"소현씨."

막혀서 제대로 나오지도 않는 목소리로 그녀의 이름을 불러봤지만 내 앞에는 아무도 없었다. 끝이 정해져 있었다고 했지만 이런 건 그 끝이 아니었다. 이런 식으로 끝나선 안 된다는 생각이 뒤늦게 들었지만 이미 늦은 뒤였다. 아직 약속을 지키지 못했다. 나사가 빠진 것처럼 다리에 힘이 빠져 털썩 주저앉았다. 잠시 아무 생각도 들지 않았다. 그저 멍하니 방금 전까지 소현씨가 서 있던 허공을 올려다보고 있었다. 나는 뭘 잘못한 걸까. 어디서부터 잘못 생각한 건가. 갑자기 눈물이 흘렀다. 소현씨는 진심이었는데, 나는 그렇지 않았다는 사실이 뒤늦게 후회가 됐다. 하나 틀린 말 없는 그녀의 마지막 말들이 복싱경기의 끝을 알리는 공처럼 내 머리를 두들겼다. 나는 정말로 그녀를 좋아했던 걸까? 그녀의 말대로 살아 있을 때의 그녀를 좋아했음은 확신한다. 하지만 귀신이 된 그녀를 나를 정말로 좋아하지 않았는가 묻는다면....... 그제야 나는 소리 내어 울기 시작했다. 성난 황소처럼 주먹으로 바닥을 내리쳤다. 손이 아픈건지 머리가 아픈 건지 목인지 그것도 아니면 가슴인지 아무것도 모르겠다. 당연히 처음엔 무서웠다. 행여나 해코지를 당하지 않을까. 그 다음엔 믿어지지 않았다. 내가 짝사랑했던 그녀가 귀신이 되어서 나와 사귀고 있다는 사실이. 그럼에도 나는 그녀가 나를 진심으로 대하고 있다는 사실과 나 또한 그런 그녀를 점점 좋아하게 되고 있었다는 걸. 나는 무엇에 확신을 가지지 못한 걸까....... 그녀가 귀신이라는 사실인지 아니면 끝이 정해져 있다는 사실인지. 복잡한 생각과 멈추지 않는 눈물을 안고 오랜만에 혼자 밤을 보냈다. 그 밤은 어느때보다 길었다.

잠들지 못할 것 같았지만 잠시 눈을 감았다가 떠 보니 해가 떠 있었다. 체력이 방전 되어 잠든 모양이다. 햇빛이 강렬한걸 보니 벌써 점심시간은 된 것 같은데 몸은 잠을 아예 못 잔 것처럼 피곤하다. 머리는 또 왜 이렇게 아프지.

"소현씨 웬일로 안 깨웠어요?"

눈을 비비적거리며 묻다가 아무 대답이 없자 소현씨가 사라졌다는 사실이 기억났다. 짧은 탄식 뒤에 헛웃음이 나왔다. 술을 마신 다음날처럼 뿌연 머릿속을 정리하고 우선 지은이에게 문자를 보냈다. '미안해. 내가 생각이 짧았다.'란 말 외엔 생각나지 않아서 짧은 문장을 적어 전송하고 수신은 차단했다. 나 자신이 구제할 수 없는 쓰레기로 느껴진다. 이미 지나간 과거에 그리고 불확실한 미래에 그렇게 흔들리다니. 아직 멍한 머리를 손바닥으로 두들기며 결심한다. 지금 내 여자친구는 소현씨니까. 그녀를 다시 찾아와야한다.

그런데 어디서? 일단 기다려볼까....... 내가 찾아다닌다고 그녀를 볼 수 있거나 연락이 닿는 것도 아니고. 우선은 기다려보자. 그런 내 모습을 비웃듯이 빗소리가 천장을 때렸다. 차라리 아무것도 하지 말라고 나를 억누른다. 복잡한 머리를 붙잡고 이리저리 뒹굴다가 방 한쪽 구석에서 나를 빤히 쳐다보고 있는 곰인형과 눈이 마주친다. 소현씨가 처음으로 원한 선물. 작은 기쁨에 세상을 다 가진 듯 즐거워하던 그 모습. 하지만 그런 좋은 기억은 온데간데 없이 주인을 잃은 인형이 초점 없는 눈으로 나를 바라 보고 있었다. 나를 추궁하듯 나의 진심을 꿰 뚫어 보듯 나를 가만히 바라본다. 그 눈빛에 결국 등을 돌리고 말았다.

 잠을 잔건지도 모르겠다. 깨어있지만 아직 꿈속을 헤매는 기분. 밀려드는 피로를 찬물로 씻어내고 대충 벗어둔 옷을 다시 입었다. 어디로 가야할까. 라는 질문을 되풀이하며 문 밖을 나서니 어젯밤의 폭우가 무색할 정도로 맑은 날씨가 나를 반겼다. 소현씨와 함께한 추억이 담긴 우리의 리스트를 주머니에 고이 접어 넣고 우선 선유도로 출발했다. 함께했던 시간을 다시 되짚어 보면 처음에 우연히 만났던 것처럼 마주칠 수 있지 않을까 하는 막연한 생각이었지만 나에겐 선택권이 없었다. 오랜만에 혼자서 타보는 지하철은 한산했다. 비어있는 자리로 가서 앉아 창에 머리를 기댔다. 덜컹거리는 차체가 나를 튕겨냈지만 나는 힘없이 다시 부딪혔다. 종에 머리를 부딪쳐 은혜를 갚은 까치마냥 머리가 울리는 건 아랑곳하지 않고 그대로 부딪히게 두었다. 혼자서 돌아온 선유도에는 나뭇잎 끝부터 조금씩 물들어 가고 있었다. 넓지 않은 섬이지만 혼자 걸으니 한없이 넓게 느껴진다. 마음이 제자리걸음을 해서 그런지 발걸음도 따라 느려져서 한 바퀴를 도는데 1시간이 넘게 걸렸다. 소현씨와 걸었던 길, 그녀의 사진을 찍어 주려 했던 자리를 한 번 더 들여다봤지만, 떨어진 낙엽들만이 바람에 힘없이 나뒹굴 뿐이었다. 이곳에서 큰일 날 뻔 했던 기억을 떠올리며 어두워지기 전에 동대문으로 이동했다. 다시 지하철에 올라 서울을 거의 반 바퀴를 돌았다. 역에 내려 다시 목적지 없는 발걸음을 계속했지만 나를 따라 걸어준 건 야속한 태양이었다. 하루가 나에게 허락해준 시간이 끝이난다. 계절 따라 짧아지는 해는 나를 두고 먼저 빌딩 숲 사이로 얼굴을 숨겨 버리고 어두워지는 하늘을 보며 짧은 한숨을 쉬고 나도 집으로 돌아갔다.

소현씨가 사라지고 일주일은 지난 것 같다. 시간이 느린지 빠른지도 모르겠다. 밖을 찾아 헤매는 낮은 야속하리만큼 시간이 빨리 가지만, 밤이 되면 시계 건전지를 빼놓은 것처럼 시간이 멈춰 버린다. 혼자 있으니 날짜 감각도 사라진다. 하루를 어떻게 보내는지 정신이 하나도 없다. 서울 안에서 생각나는 곳은 2번씩은 간 것 같고 혹시나 하는 마음에 속초까지 갔다 왔지만 헛걸음이었다. 밥도 잘 못 먹고 술 만 마셨더니 속이 뒤틀린다. 술에 잠겨 살았지만 그럴수록 소현씨를 향한 마음은 떠올랐다. 나 자신에 대한 원망과 후회 사이에서 간과하고 있던 장소가 생각났다. 우리가 처음 만났던 곳.

"거기라면 정말 만날 수 있을지도 몰라."

쓰린 속을 붙잡고 다시 지하철로 향했다. 전철이 덜컹 거리니 빈속에 마신 술이 역류할 것 같다. 내가 풍기는 지독한 술 냄새에 사람들은 내게서 거리를 두면서도 혹시나 토를 하지 않을까 걱정스러운 표정을 지으며 나를 보고 있다. 연신 고개를 숙이며 사과의 뜻을 표했지만 다른 사람들에겐 그저 취객의 몸부림으로 보였을 것이다. 그래서 그냥 자는 척 눈을 감았다.

행여나 잠이 들까 온 신경은 안내음성에 집중했다. 한 역 한 역. 목적지가 가까울수록 기대감을 감출 수 없었다. 소현씨를 마주할 자격은 없었지만 그래도, 용서를 구하기 위해서 마음을 다잡았다. 그녀 앞에 무릎 꿇기 위해 지금은 일어서야 할 때다.

"이번 역은 시청, 시청역입니다."

드디어 기다리던 안내가 나왔다. 여기까지 오는 사이 술이 좀 깨 더 이상 비틀 거리지는 않았다. 심장박동에 맞춰 머리를 두들기는 듯 아팠지만 이 정도는 참을 수 있다. 안전손잡이를 붙잡고 느려지는 전철에 맞춰 흔들리는 몸을 겨누며 문이 열리기 기다렸다. 유리창 너머로 소현씨가 웃으며 서 있지 않을까? 아니 웃고 있는 것 까진 아니더라도 나를 맞아 주지 않을까? 하지만 이내 문이 열리고 전철을 타기 위해 줄을 선 사람들 사이로 걸어 나가도 그녀는 없었다. 어쩌면 당연하게도. 실망감에 힘없이 벤치에 앉았다. 기대하면 안 된단 걸 알고는 있었지만 막상 현실을 마주하니 마음이 무너졌다. 간신히 붙잡고 있던 이성의 끈을 놓아 버리니 눈물이 쏟아졌다. 불행 중 다행이라면 이제 막차가 들어올 시간이라 내가 우는 모습을 볼 사람이 없었다는 것이다. 그 사실을 알고 나서 더 크게 울었다. 울컥 거리며 떨리는 몸 때문에 토가 올라왔다. 겨우 입을 막으며 버티고 있으니 오늘의 마지막 열차가 들어온다는 방송이 나왔다. 고개를 드니 플랫폼 너머 철로가 보인다. 취했기 때문일까? 아니면 슬픔에 이성이 마비 되서? 왜 그런 생각이 들었을까? 나도 여기서 죽으면 소현씨를 만날 수 있지 않을까 하는 그런 생각이.

 어두운 터널 너머로 헤드라이트의 빛이 앞서 달리며 전철이 내는 굉음이 터널 안에서 울려 플랫폼까지 밀려들어온다. 그 소리가 가까울수록 내 마음은 조급해져 거의 뛰듯이 철로를 향해 달렸다. 미친 듯이 뛰는 심장박동이 곧 소현씨를 만날 수 있다는 설렘의 두근거림으로 바뀌었다. 아드레날린이 온 몸을 구석구석 누빈다. 시야는 점점 새하얘지고 머릿속엔 단 한 문장만 가득하다.

'지금 만나러 갈게요.'

 몸이 강하게 부딪히는 충격 뒤에 몇 바퀴를 내뒹굴었다. 구르면서 부딪힌 온 몸 구석구석에서 통증이 밀려왔다. 거기에 뇌를 두들기는 통증까지 더 심해져 신음소리가 새어 나왔다. 온 몸이 부서진다는 고통. 눈 앞이 일순간에 어두워진다. 죽는다는 거 이렇게 아픈 거구나....... 역시 상상했던 대로 죽는 것도 쉽지 않네. 그런데 죽고 나서 통증이 느껴지나? 이상함을 느끼고 눈을 떠 봤지만 눈앞이 캄캄했다. 숨도 잘 쉬어지지 않았다.

"나 죽어서 지옥에 온 건가. 어두컴컴하네."
"헛소리 그만하고 정신 차려요......."

이 목소리는 내가 그토록 찾아 다니던 그리운 목소리다.

"소현씨? 저 죽어서 만난 건가요?"
"바보 같은 소리 그만하라니까요. 이게 뭐야 잔뜩 취해선. 정신도 못 차리고. 그런 큰일 날 소리 하지 마요. 안 죽었으니까."

소현씨가 내 위에서 내려오자 어둠이 사라지고 역 천장이 보였다. 다시 한 번 격통이 온 몸을 찔렀고 조금씩 상황 파악이 되기 시작했다. 이 통증이 내가 살아있다는 반증이었다. 욱신거리는 감각이 갑자기 달갑게 느껴진다. 죽지는 않았구나. 안도감과 함께 공포가 밀려온다. 나 방금 정말 죽을 뻔 했구나. 술에 취해 제정신이 아닌 중에 돌이킬 수 없는 실수를 저지를 뻔 했다. 희미하게 멀어져 가는 전철소리가 다시 내 머릿속을 울린다. 멍하니 위를 올려다 보다가 천장의 불빛에 눈이 시린지 눈물이 한 방울 흘렀다.

"소현씨가 저를 막은 거군요."
"사람이 많이 죽는 곳에선 선배들이 있다고 했죠? 조심해야 한다니까요."
"그래서 그런 거였구나."
"큰일 날 뻔 했으니까. 빨리 일어나요. 죽다 살아난 사람한테 당장 화내긴 싫으니까 집에 가서 잔뜩 화 낼 거 에요."
"저랑 같이 돌아가 주시는 거 에요?"

소현씨는 나를 힐끗 째려보고 고개를 홱 돌려 버렸다. 방금 죽을 뻔 했다는 사실도 그리고 소현씨가 화가 나 있단 사실보다, 그저 그녀를 다시 만났다는 게 너무 기뻐 웃음이 터져 나왔다. 그간의 고생이 헛되지 않았다는 안도감에 큰 소리로 웃었다. 짧은 순간에 너무 많은 일이 벌어져서인지 이 순간만큼은 약간 미친 사람이 된 기분이다.

"웃는 것도 바보 같아 진짜. 일어나요 집에 가게."

그녀가 내민 손을 잡고 일어서면서 비틀 거리는 척 그녀를 안았다가 반사적으로 따귀를 맞았다.

"저 아직 화 나 있다는데 어딜 안겨요."

그래, 내가 한 짓을 생각하면 따귀 한 대 정도야 싼 거지. 술기운이 확 달아났지만 아린 뺨을 손바닥으로 쓸면서 소현씨를 따라갔다. 소현씨의 도움을 받아 역 밖으로 나와 택시를 타고 집으로 돌아갔다. 도착할 때 까지 그녀는 창밖만 보고 있었고 나는 뒤늦게 밀려온 피로감에 잠이 들고 말았다. 그리고 그 짧은 잠이 내가 그날 밤 잘 수 있는 잠의 전부였다. 문을 열고 들어가는 순간 공기가 차가워지고 덩달아 소현씨의 목소리도 낮고 차분해졌다. 오뉴월에 서리가 내린다는게 비유가 아니었구나.

"앉아요."

나는 조심스럽게 소현씨 앞에 무릎을 꿇고 앉았다.

"지호씨."
"네."
"어디서부터 얘기를 해야 할지 모르겠는데, 지호씨가 뭘 잘못했는지 한 번 말해볼래요?"
"일단 그....... 지은이........"
"그래요 거기서부터 얘기하면 되겠네. 지호씨 제가 정말 실망했거든요 그때? 그래요 뭐 첫사랑 만나서 흔들릴 수 있어요 거기까진 내가 이해해 줄게요. 그런데 내가 정말 실망한 건......."

차분했던 목소리가 떨리기 시작했다. 차갑게 느껴졌던 공기가 이젠 나를 억누른다.

"어떻게 날 안 좋아한다고 말할 수가 있어요? 제가 믿었던 지호씨의 진심은 거짓말이었던 거 에요?"
"아니에요. 정말 좋아하는데. 그때는 제가 잠시 미쳤었나 봐요."
"그거 참 편한 핑계다 그죠?"
"죄송해요......."
"지금은요?"
"네?"
"절 왜 찾아 온 거 에요?"
"뒤늦게 깨달았어요. 제가 소현씨를 진심으로 좋아하고

있었구나, 라고."

"그래서 자살하려고 한 거고요?"

"그것도 잠시........"

"미쳤었다?"

"네......."

"틀린 말은 아니니까 봐 드릴게요. 근데 지호씨가 그렇게 죽어서 귀신이 되어서 저를 다시 만났다고 해서 제가 반가워할까요? 이제 우리 둘 다 귀신이니까 영원히 행복하게 지내요! 잘됐다 잘됐어. 하면서 좋아했을까요?"

"아니요......."

"저 때문에 지호씨가 죽으면 안 되는 거잖아요....... 그런 이유로 죽는 건 저 하나로 충분하니까."

소현씨는 내 가슴에 얼굴을 파묻었다. 찰나 보인 눈물을 감추기 위해서였을까, 떨리는 목소리를 들키지 않기 위해서였을까. 나는 여전히 그녀의 떨리는 등에 손을 올리지 못하고 가만히 듣고 있었다. 어느새 나도 그녀와 공명하듯 떨리고 있었기 때문이다. 참새가 숨을 곳을 찾아 사시나무에 숨어 들었지만 이내 바람이 불어 함께 흔들리는 모양새로 그렇게 함께 흐느꼈다. 소현씨가 쏟아내는 감정이 나를 휩쓰는 파도가 되어 이리저리 휘몰아쳤으나, 그 속에서 나도 내 진심을 조금은 알 것만 같았다.

"제발 바보 같은 짓 좀 그만해요. 저는 지호씨에게 부탁한 소원을 모두 이루면 떠나야 하는데, 이런 행동을 보이면 저는 불안해서 어떻게 떠나라는 거 에요?"

"죄송해요."

"죄송하다는 말 밖에 할 말이 없어요?"

"다시는 안 그럴게요. 소현씨와 함께하는 동안은 항상 소현씨만 바라보고 약속한 시간이 되어 떠나가더라도 저는 계속해서 살아갈게요."

"이제야 제대로 반성하네요."

나는 그제야 조심스럽게 그녀의 등에 손을 얹고 그녀를 감싸 안을 수 있었다. 언제나 그렇듯 온기 없는 작고 부드러운 몸. 나의 손끝이 그녀의 여린 등을 쓰다듬고 나서야 이제 모든 것이 제자리로 돌아왔다는 확신이 들었다. 원래 혼자였던 공간에 잠시 나 혼자 있었을 뿐이었는데, 이미 소현씨가 내 삶에서 차지하는 부분은 겨우 이 작은 방의 일부 정도가 아니었다. 우리에게 정해진 끝이 다가올 때 까진 떼어 놓을 수 없는 큰 지분이었다. 안도하며 눈을 감는 순간 소현씨가 내 몸에서 얼굴을 떼며 손으로 내 가슴을 밀었다. 몸에 힘을 풀고 있던 나는 그대로 뒤로 밀려나 바닥과 등을 맞대어 눕고 내 위로 소현씨가 올라타 있는 형세가 되었다.

이런 광경이야 매일 아침 그녀가 나를 깨울 때 마다 봐왔지만, 지금은 그 분위기가 달랐다. 야릇한 장미향이 후각을 자극하자 그에 대한 반응으로 심장이 큰 소리로 울려댔다. 우리 둘 사이에 오가는 대화는 없었기에 쿵 그리고 쾅 하는 거센 심장 소리가 스피커처럼 집 안을 가득 채웠다. 부끄러움에 감추고

싫었지만 그녀의 귀를 막을 수도 내 심장을 멈출 수도 없다. 정수리가 내 턱쯤에 있던 소현씨가 내 위를 기어 나와 눈을 마주쳤다. 그녀의 옷자락이 부드러운 이불처럼 내 몸을 훑었다. 갑작스런 자극에 온 몸에 피가 끓어오르고 심장은 금방이라도 터져 버릴 것 같았다. 그리고 그녀가 그 작은 입을 나의 귓가로 가져와 속삭였다.

"역시 살아 있는 편이 더 좋죠?"
"네. 그러네요......."
"그런데 지호씨 저 이번에는 화가 아주 많이 났었기 때문에 포옹 정도로는 안 풀릴 것 같은데."
"네? 그러면은?"
"눈 감아요."
"네."

나는 벌벌 떨리는 입술을 앞으로 내밀고 말했다.

"저는 아직 마음의 준비가."
"쉿, 내가 알아서 할 테니까. 가만히 있어."

온기도, 숨소리도 당연히 없었지만 그녀의 입술이 다가오고 있음은 알 수 있었다. 게슴츠레 눈을 떠 보니 어느새 그녀도 눈을 감고 있었기에 나도 다시 눈을 감았다. 입술이 맞닿기 직전의 1초 동안 내가 너무 긴장해서 입술이 딱딱해지진 않았을지, 내가 면도를 했는지, 그리고 이는 닦았는지, 소현씨가 그런 부분들을 느낄 수 있는지, 걱정이 됐지만 쓸데없는 걱정이었음이 입술이 맞닿는 순간 증명 되었다. 키스의 느낌에 대해서 알진 못하지만 소현씨의 부드러운 입술이 나의 입술을 감싸며 가볍게 빨아들이는 감촉은 처음 느껴보는 황홀경이었다. 온기는 없지만 입술이 맞붙었다 떨어질 때의 소리 그리고 다시 닿을 때의 기분 좋은 압박감, 동시에 내 볼을 쓰다듬어 주는 그녀의 손길. 정말이지, 살아 있길 잘했다.

체감으로 3초와도 같은 시간이 지나고 소현씨가 내 위에서 내려와 옆에 나란히 누웠다.

"조금 더 했다간 지호씨 심장 터지겠어요."
"터져도 좋을 것 같은데."
"또, 또 바보 같은 소리한다. 그리고 다음에 할 때는 입술에 힘 좀 빼요. 처음 하는 티 엄청 내고 그래요."
"그래도 좋았어요."
"그거면 됐어요."

소현씨가 내 옆에 누워 있다는 사실에 안심이 되어 노곤함이 밀려들었다. 덕분에 오래간만에 마음 편히 잠들 수 있었다. 오늘밤은 어떤 독한 수면제도 어느 감미로운 자장가도 필요하지 않았다. 내 팔 안에 안겨 있는 그녀의 감촉만으로 충분한 밤이었다. 너무 깊이 잠들어 꿈도 꾸지 않은 것 같았지만 다시 눈을 떠 시계를 확인해 보니 벌써 정오가 넘은 시간이었다. 목이 말라 갈라지는 목소리로 "너무 오래 잤나?" 라며 혼잣말을 하니 옆에서 소현씨가 피곤해 보여서 일부러 안 깨웠다며 나에게 물을 가져다줬다.

"어제 술 많이 마셔서 속도 안 좋을 텐데 마셔요."
"고마워요. 저 너무 오래 자서 심심했었죠?"
"괜찮아요. 오늘 하루만 봐 드릴게요. 대신 오늘부터는 일찍 자고 일찍 일어나기. 아직 해야할 일이 많다고요."
"그러네요. 우리 다음 해야 할 일이 뭐였죠?"

자리에서 일어나 문에 붙어 있던 리스트를 확인하고 온 그녀가 말했다.

"원래는 같이 노래방가기인데요. 지호씨 컨디션도 안 좋을거고 우리 오랜만에 같이 요리할래요?"
"그럼 장 보러 나갈까요?"

나갈 준비를 하려 일어나려는데 누군가 우리 집 문을 열고 들어왔다. 깜짝 놀라 이불로 몸을 감쌌는데, 엄마가 나를 한심하다는 표정으로 내려다보고 있었다. 생각해보니 우리 집 비밀번호를 아는 사람들은 가족들뿐이지. 오랜만에 만나니까 반갑긴 한데. 가능하면 내가 찾아가서 만나면 더 좋을 것을. 이런 기습적인 방문은 언제나 달갑지만은 않다. 아직까지 자고 있었냐는 엄마의 잔소리 폭격을 한 귀로 흘려들으며 엄마가 손에 들고 있던 장바구니를 받아 들었다. 방심하는 순간 손이 아래로 훅 떨어질만큼 묵직한데 뭘 이렇게나 많이 챙겨서 오셨을까. 하지만 그 틈에도 엄마의 입은 쉬질 않았기에 한 번 끊어 가고자 인사를 건넸다.

"엄마 웬일이야 연락도 없이?"
"연락도 없기는 이 자식아. 내가 전화를 몇 번이고 했는데 받지도 않아서, 밥을 못 먹어서 쓰러졌나하고 걱정이 돼서 반찬 싸들고 왔더니 천하태평하게 누워 자고 계셨네, 우리 아드님께서."

나는 멋쩍은 미소를 지으며 애교로 상황을 모면하려 했지만 다 큰 아들이 징그럽다며 도리어 밀려나 버렸다. 엄마는 혀를 차며 자신이 가져온 반찬들을 냉장고에 넣기 위해 문을 열었는데, 어제까지 혼자였던 나의 냉장고는 이미 텅 빈 상태였고 결국 나는 등으로 엄마의 사랑의 매를 받아냈다. 철썩철썩 찰진 타격음이 집안 가득 울린다.

"아이고 이 화상아. 내가 와보길 잘했지. 막내 장가도 못 보내고 아사 시킬 뻔 했네."
"나 혼자서 살다 보니 반찬도 잘 안하게 되고........"
"너 여자 친구는, 반찬 같은 거 안 해줘?"
"아냐 요리 잘하는데."
"근데 왜 아무것도 없어 싸웠어?"

차마 그녀가 엄마 뒤에 서서 안절부절 못하며 우리를 지켜 보고 있다고는 말 못하겠다. 눈동자와 함께 머리를 이리저리 굴리며 이 상황을 빠져나갈 방법을 모색한다. 생각해라 생각.

"그것보다, 형이 얘기해줬어?"
"당연하지. 제수씨가 깜짝 놀랄 정도로 예쁘대서 우리 아들 드디어 장가보내나 했더니 그새를 못 참고 싸워?"
"아냐 엄마 화해했으니까 걱정 마."
"그럼 네 형 결혼식에도 데리고 오겠네?"
"형 결혼식?"
"내가 홧병이 나서 돌아가셔야 우리 아드님께서 철이 드실까? 형이 직접 와서 청첩장까지 주고 갔다는데 그걸 왜 몰라?"
"아 그때 그거........ 정신이 없어서 확인을 못했네."
"아무튼, 날짜랑 장소 잘 확인하고 여자 친구도 가능하면 데리고 오고."

 소현씨가 당황한 표정으로 고개를 젓고 있었지만 나는 엄마를 보며 어색하게 고개를 끄덕였다. 잔머리 굴리다가 일이 오히려 커져 버렸지만, 변명거리는 나중 가서 생각하자. 일단 지금은 엄마의 잔소리에서 벗어나는 게 먼저다. 엄마를 빨리 보내기 위해 함께 반찬통을 냉장고에 정리하던 중 소현씨에게 등을 맞았다. 방심하던 틈에 날아온 일격에 놀라 외마디 비명이 '악' 하고 나와 버렸다. 오늘 내 등이 남아나질 않는다. 갑자기 튀어나온 비명소리에 엄마가 고개를 돌려 등을 쓰다듬고 있는 나를 이해할 수 없다는 표정으로 바라봤다.

"왜 그래?"

"아냐 아무것도. 반찬은 잘 먹을게."
"그래, 엄마는 이것만 정리하고 갈 테니까, 귀한 여자 친구랑 싸우지 말고."
"알았다니까. 걱정 말아."
"그럼 다음 주 주말에 보자 아들."
"다음 주였어?"

정신이 오락가락해서 바보 같은 소리를 하는 나의 모습에 못 참고 결국 엄마도 내 등을 한 대 때리고 갔다. 하필이면 소현씨에게 맞았던 자리라 멍이 드는 거 아닌가 싶을 정도로 아팠지만 이번엔 마음의 준비를 하고 있었기에 소리가 새어 나가는 것은 참을 수 있었다. 둘 다 손이 왜 이렇게 매운지. 가벼운 포옹으로 엄마를 마중하고 문을 닫자마자 소현씨가 "바보!"를 연발하며 내 등에 융단 폭격을 가했다. 이번엔 정말 아픈 거고 뭐고 정신없이 날아드는 손바닥을 막아 내는데 급급했다. 심지어 지치지도 않는 그녀이기에 진정하는 걸 기다리느라 한참동안 얻어 맞고나서야 이야기가 가능해졌다. 소현씨는 여전히 성난 복어처럼 볼을 잔뜩 부풀리고 있었지만 "얼른 변명해 봐요." 라며 나에게 발언권을 줬다. 그게 과연 의미가 있을지는 잘 모르겠지만. 이제 능구렁이가 되어 여기서 어떻게든 빠져 나가야한다.

"저........ 그게 그러니까요. 일단 형한테 보이기도 했고, 그래서 역시 가는 게 좋지 않을까요?"
"그걸 지금 변명이라고 해요?"

"죄송합니다. 그럼 역시 저 혼자 가는 걸로."

"그럼 저에 대해서 어떻게 생각하시겠어요? 흠. 역시 그걸 하는 수밖에 없나."

"그거요?"

"네. 그 공포영화나 괴담 같은 거 보면 귀신들이 사람들 앞에 나타나고 하잖아요? 지호씨 형의 경우처럼 영력이 강해서 볼 수 있는 경우도 있지만 대부분은 귀신 쪽에서 자기를 들어내는 거거든요?"

"그럼 소현씨도 모습을 드러내면?"

"일단 시도해 봐야죠."

"소현씨가 저한테 보이는 것도 제가 영력이 강해서인가요?"

그녀는 바로 대답하려다 잠시 망설였다. 입술을 떼었다가 다시 붙이고는 짧은 고민 뒤에 대답을 내놓았다. 뭔가 나에게 말 못한 것도 있는걸까? 찰나였지만 그녀의 표정에 어두운 기색이 비추었다.

"아뇨 지호씨의 경우는 아니에요. 저 말고 다른 귀신들은 안 보이잖아요?"

그녀의 말대로 나는 소현씨 외에 다른 귀신을 본 적이 없다. '선배들'이 잔뜩 모여 있는 장소에 가도, 아니면 살다보면 우연히라도 볼 일이 있었을텐데. 나를 선택하고 의도적으로 찾아와준거구나. 왜 하필이면 나였을까가 아니라, 나여야만 했던 말할 수 없는 사연을 이제야 알아챘다. 정말이지 나는 눈치가 없다. 한때나마 이 만남이 억울하다 느꼈던 나는 눈치 없는 바보이다.

"그러고 보니 그러네요."
"그러니까 제가 다른 사람들에게 보이려고 하면 보일 수 있을 거 에요. 아마."

"흠."하는 짧은 추임새 뒤에 소현씨가 자리에서 일어났다. 나도 어정쩡하게 따라 일어나며 물었다.

"뭔가 생각 난거에요?"
"일단 데이트 좀 하러 가요. 겸사겸사 장도 보고."

그러고 보니 우리 지금 장보러 가려던 참이었구나. 방금 전에 그 얘기를 해놓고는 엄마의 기습에 잠시 정신이 딴 데 가 있었다. 마침 냉장고도 비어있고 혼자 있는 동안 제대로 먹지 못한 위장도 음식 생각에 크게 꼬르륵 소리를 냈다. 그 소리에 소현씨가 큰 소리로 웃었다. 작은 일에도 웃는 그 모습이 정말 그리웠구나. 나도 덩달아 미소가 지어졌다. 늘 그랬던 것처럼 그녀의 작은 손을 잡고 계단을 내려간다. 내려가면서 보이는 우리 동네. 혼자 있는 시간 동안 천장 혹은 바닥만 보고 있었는데 소현씨가 돌아오고 나니 다시 많은 것들이 보이기 시작한다. 그에 대한 감사, 그리고 다시 그녀를 놓치고 싶지 않다는 불안감에 손가락을 교차해 깍지를 꼈다. 나도 모르게 힘이 들어갔지만 소현씨는 신경 쓰지 않는 듯 했다. 그러고 보니 그녀는 나와 몸이 닿는다고 해서 감촉이 있을까?

"저 소현씨, 갑자기 뜬금없는 질문이지만."
"지호씨는 항상 뜬금없는 걸요?"
"그건 저도 잘 알고 있어요....... 갑자기 궁금해져서 그런데 소
현씨는 저랑 손을 잡거나 하면 감촉이 있어요?"

 이번에 그녀는 한 치의 망설임 없이 대답했다.

"아니요. 전에도 얘기했지만 저는 시각과 청각 외의 어떠한 감
각도 없어요. 냄새를 맡지도 맛을 느끼지도 못하고 지호씨의
손을 잡는다고 해서 그 손의 느낌이나 온기가 저에겐 느껴지
지 않아요."
"그럼 혹시 어제 그. 키........."
"키스요? 그걸 왜 말을 못해요."
"부끄러우니까요."

 소현씨는 나에게 귀엽다고 말하며 내 오른쪽 볼에 가볍게 입
을 맞췄다. 장난기 가득한 **뽀뽀**에도 내 얼굴은 금세 달아올라
버린다.

"당연히 저는 아무 느낌 없죠. 그 상황을 즐기는 거 에요. 지
호씨에게 애정을 표현하고,  아 그리고 지금은 다른 사람들이
보고 있으니까 볼에다 했어요."
"네? 보고 있다고요?"

그 말을 듣고 주위를 둘러보니 아까부터 지나가던 사람들이 우리를 흘깃흘깃 보는 것을 눈치 챘다. 평소엔 아무리 소현씨와 함께 다녀도 눈길을 주는 사람이 없었는데, 지금은 모든 사람은 아니더라도 지나가며 시선을 돌리는 사람들이 조금씩 보인다. 귀를 기울여 보니 소현씨의 외모에 대해 감탄하는 대화도 들린다. 내 여자 친구가 여러 사람들을 돌아보게 할 정도로 예쁘다는 사실에 어깨에 힘이 들어갔지만 소현씨는 한 마디 혼잣말로 나의 어깨를 다시 내려가게했다.

"역시 이 옷은 너무 눈에 띄나 보네. 결혼식 전에 옷을 한 벌 사러 가야겠어요."
"네 내일 사러 나가죠. 그럼."

소현씨가 미인인건 맞지만, 얼굴보다 저 검은 드레스가 훨씬 눈에 띄긴 할 거다. 데이트라 생각하고 걷다 보니 어느새 마트에 도착했다. 내가 카트를 끌고 오니 소현씨가 저번처럼 들어가 앉으려다가, '아'라는 짧은 탄식과 함께 내려와 내 곁에 서 "이젠 남들 눈에 보이니까 타면 안 되죠 참."이라고 말하며 민망한지 고개를 숙이고 왼손을 카트 손잡이에 살포시 올렸다. 그 모습이 이제 어린아이가 아니라는 사실을 깨달은 조카처럼 귀여웠다. 게다가 나는 오히려 이렇게 마주 서서 걷는 편이 부부처럼 보이고 좋았지만 내색하지 않았다. 소현씨는 계속 민망한지 카트를 미는 손에 힘이 들어가는 게 느껴졌다. 점점 속도가 붙으려고 해, 좀 더 이 분위기를 즐기고 싶었던 나는 귓속말로 이야기했다.

"오랜만에 데이트인데 천천히 즐기면서 해요 우리."
"지호씨, 저도 남들 눈에 오랜만에 보이는 거라 깜빡했는데, 누가 이런 옷을 입고 장을 보러 와요........"
"아. 맞네요"
"그러니까 빨리 살 거, 사서 들어가요 우리. 저 너무 민망하니까요."

 소현씨가 새빨개진 얼굴과 꾹 다문 입술로 나를 올려다보니 덩달아 나도 움직임이 급해졌다. 평소 같았으면 같은 물건이라도 가격을 비교하고 더 좋은 걸로 사고, 했을 텐데, 지금은 일단 손에 잡히는 대로 카트에 담고 봤다. 소현씨가 결국 몸을 가릴 의도였는지 내 앞으로 들어와 서서 내 몸과 카트 사이에 섰다. 뒤에서 보면 완벽히 가려지겠지만 앞에서 보면 더 민망한 상황이 연출됐다. 장난삼아 소현씨의 정수리에 턱을 살짝 올려 봤는데 그대로 팔꿈치로 명치를 가격 당하고 똑바로 서서 걸어갔다. "한 번만 더 그러면 혼나요."라는데 이미 때렸으면서......결국 소현씨는 고개를 푹 숙이고 장보기를 나에게 맡겼다. 그녀는 발이 걸려 넘어진 다던가 그럴 걱정은 없으니 괜찮은가. 제대로 된 데이트는 내일 해도 되니까 뭐. 오늘은 이대로 만족해볼까. 나만의 아쉬움은 그냥 그렇게 남겨됐다. 지금은 빨리 집에 돌아가는 게 먼저다. 집에 돌아가는 길에도 먼저 언덕을 달려 올라가 버린 소현씨의 뒤를 따라 거친 숨을 쉬며 올라갔다. 오랜만에 나와서 움직이니 몸도 놀란 모양이다. 같이 가자고 불러보려 했지만 지쳐서 말도 제대로 나오지 않았다. 저런 모습을 보면 의외로 귀신이 되는 것도 편하지 않을까 하는 잡생각은 올라가는 길에 바로 버린다. 잠깐이라도 그런 생각을 하는 건 소현씨에 대한 예의가 아니다. 헐떡거리며 집에 도착하니 소현씨가 먼저 짐 정리를 해놓고 있었다. 나중에 먹을 것들은 냉장고와 선반에 지금 당장 요리할 것들은 꺼내어 싱크대 위에 올려놓고 나를 기다리고 있었다.

"왜 이렇게 오래 걸려요."
"소현씨가 너무 빨리 올라간 거 아닌가요. 그런데 우리 오늘 뭐 만들기로 했었죠?"
"오랜만에 칼국수로 해보려고요. 제가 육수를 준비하는 동안 밀가루 반죽 좀 해주실래요?"
"처음 해 보는 건데 괜찮겠죠?"
"계량은 제가 해드릴 테니 반죽만 해주시면 돼요."

소현씨는 우선 넓은 그릇에 밀가루와 물을 담고 살살 저어 내 앞에 놓고는 물을 끓였다. 나는 처음 해보는 작업에 긴장했지만 어릴 적 하던 찰흙 놀이와 비슷할 거라고 자신을 세뇌하며 밀가루 사이로 손가락을 밀어 넣었다. 처음에는 부드러운 가루들 사이로 느껴지는 감촉이 좋았지만 물이 밀려드니 이내 질척해지기 시작했다. 찰흙보다는 물기를 머금은 모래 같은 느낌에 급격히 불안해졌다.

"소현씨 이거 맞아요? 너무 질척거리는데요?"

그녀는 끓는 물에 멸치를 넣고 나에게 다가와 반죽을 잠시 바라보고는, "밀가루랑 물이랑 잘 섞이면 뭉쳐질 거 에요, 그때 꾹꾹 눌러주시면 돼요."라고 말하고 야채를 썰기 위해 돌아갔다. 그녀의 말대로 반죽이 점점 뭉쳐지고 형태를 갖춰가기 시작했다. 반죽이 어느 정도 둥글게 뭉쳐지고 난 뒤에 상체 힘을 실어 반죽을 있는 힘껏 눌렀다. 그 모습을 지켜보던 소현씨의 표정이 장난감을 갖고 노는 고양이를 보는 것처럼 흐뭇해하는 것을 보고 내가 제대로 하고 있음을 확신했다. 반죽을 완성하고 싱크대에서 손을 씻으며 더 할 일이 있는지 물었다.

"반죽을 얇게 편 다음에 썰어주세요."
"그 정도야 쉽죠!"

하나를 성공적으로 해내니 자신감이 붙어서 적극적으로 나섰다. 소현씨가 야채 썰기를 마친 도마 위에 반죽을 올리고 밀대로 쭉 밀었다. 몇 번 앞뒤로 왕복하니 어느새 피자 도우처럼 넓게 펴진 반죽을 다시 접어 칼로 썰었다. 그런데 썰다 보니 반죽이 칼에 들러 붙고 모양도 뭔가 이상해 소현씨를 불렀다. 보통 이렇게 하면 면이 나와야 하는데.

"소현씨 면이 안 펴지고 다시 뭉치는데요?"
"네? 아. 반죽을 접기 전에 밀가루를 안 뿌렸구나. 육수도 준비됐고, 그냥 수제비로 해서 먹을까요?"
"밀가루를 뿌려야하는 건줄 모르고......."
"괜찮아요, 솔직히 칼국수보다 수제비가 더 맛있지 않나요?"
"저는 둘 다 좋아해요."

"그럼 이제 반죽 뜯는 법 알려 드릴 테니 같이 완성 해봐요."

 그녀의 안내를 따라 손에 식용유를 바르고 반죽을 조금씩 떼어 냄비에 넣었다. 하얀 밀가루 덩어리들이 떠올랐다가 가라앉으며 익어가는 모습을 보는 게 재미있었다. 이런 게 요리가 가진 매력인가? 수제비 국물향이집안을 가득 채우니 기분이 덩달아 붕 뜬다. 꼬르륵 거리기 시작한 배는 덤으로. 소현씨가 수제비를 마무리하는 사이 나는 손을 씻고 밥상을 차렸다. 반찬이라고 올릴 건 김치뿐이지만. 수저를 놓고 나니 완성된 수제비가 가득 담긴 밥그릇이 내 앞에 놓인다. 맞은편엔 소현씨와 그녀를 위한 한 그릇이. "잘 먹겠습니다!"라는 한 마디를 신호탄 삼아 한 숟갈 크게 떠 입에 넣었다. 생각보다 뜨거워 자리에서 펄쩍 뛰니 소현씨가 웃으며 "천천히 먹어요. 아직 많이 남았으니까." 라고 말했다. 내가 먹는 모습을 가만히 지켜보다가 내가 그릇을 다 비우니 자기 앞에 있던 그릇을 내 쪽으로 밀며 한 그릇을 더 권했다. 젊은 엄마와 어린 시절의 내가 마주 앉아 밥을 먹던 때가 떠오른다. 소현씨의 행동 모든 곳에 따뜻함이 담겨있다.

"이건 충분히 식었을 테니까 바로 먹어도 돼요."
"소현씨는요?"
"저는 밥 못 먹는 거 알면서."
"아. 죄송해요........ 깜빡했네요."
"그래도 지호씨가 맛있게 먹는 모습 보니까 좋네요. 이제 앞으로도 이렇게 밥 잘 챙겨 먹을 거죠?"

"네! 소현씨랑 함께 있으면 걱정 없죠!"

"그래요. 같이 있는 동안은 제가 밥 잘 챙겨줄게요, 그리고 요리하는 법도 알려 줄 테니, 나중에 제가 없더라도 밥 계속 해 먹어야 돼요 알겠죠?"

 그 말에 대답 대신 숟가락을 천천히 내려놨다. 잠시 잊고 있었지만 이제 그녀와 함께할 시간이 소원 5개만큼 밖에 남지 않았다. 이미 반환점을 돌아 버린 것이다. 어젯밤을 같이 보냈다고, 그리고 지금 그녀가 나와 함께 식사를 하고 있다고, 그녀가 때가 되면 떠나 가야한다는 것을 잠시 잊어 버렸다. 하지만 앞으로도 그 사실은 모른 척 하고 살고 싶어졌다. 그냥 지금처럼 행복하게 지내면 안 되는 걸까? 미루고 미뤄서 아무런 미련도 남지 않을때까지 버티면 조금은 이별이 쉬워지지 않을까? 이 또한 경험해 본 적 없는 일이기에 확신을 가지 못하겠다. 헤어짐이 다가온다는 사실에 덜컥 겁이난다. 소현씨가 사라졌을 때 느낀 불안과 허전함. 그걸 앞으로 영원히 느껴야한다니. 그 사실이 싫다. 운명이 원망스럽다. 여전히 모든 것이 어려운 나에게 가장 힘든 과제의 마감기한이 얼마 남지 않았다.

"배불러요?"

 많아진 생각에 잠시 숟가락을 내려놓은 나를 보고 그녀가 물었다.

"네, 역시 두 그릇은 좀 많네요."

"괜찮아요, 남은 건 내일 아침에 또 먹어도 되니까."

그녀는 남은 수제비를 냄비에 붓고 싱크대에서 빈 그릇에 물을 담았다. 그릇들이 부딪히며 달그락 거린다.

"설거지는 제가 할게요!"
"어머, 기특해라, 고마워요 지호씨."

소현씨는 나에게 짧은 입맞춤을 선물한 뒤 벽에 기대어 앉아 눈을 감았다. 그녀가 잠들지는 않겠지만 그 모습이 꼭 지쳐 잠든 것 같아 괜스레 마음이 시렸다. 손이 차갑다. 온수를 틀어볼까하는 생각이 들었을땐 이미 손이 다 젖어 늦은 뒤였다. 어차피 몇 개 되지도 않는 그릇 얼른 씻고 치워 버려야지.

# 4. 종착역입니다 안녕히가세요

 배신감과 상처를 안겨준 나에게 돌아와 진심으로 친절을 베
푸는 그녀를 가만히 쳐다 보다 싱크대로 고개를 돌렸다. 이제
헤어질 시간이 얼마 남지 않은 것 같아 마음이 복잡해진 나도
아무 말 없이 설거지만 했다. 뭐라도 하지 않으면 약해진 마음
이 자꾸만 나를 힘들게 할 것 같다. 설거지에 집중하자 집 안
엔 그릇들이 부딪히는 소리와 물소리만이 존재했다. 침묵을 깬
건 내가 마지막 그릇을 건조대에 올려놓음과 동시에 나를 부
른 소현씨였다.

"지호씨, 설거지 다 했으면 잠시 옆에 앉아 볼래요?"

 나는 말없이 그녀 옆으로 가 똑같이 벽에 기대앉았다. 손이라
도 잡을까 고민하는 사이 소현씨가 담담한 목소리로 말을 이
어갔다.

"아까 했던 말 너무 신경 쓰지 마세요."
"어떤 말이요?"
"제가 없더라도 잘 챙겨 먹으라는 말, 아무리 우리가 헤어짐
이 정해진 사이라고 해도 제가 그만 실언해 버렸어요."
"아니에요 괜찮아요. 저도 마음의 준비는 해야 하니까."
"그렇게 말해주니 고마워요. 저는 제가 떠나고 난 뒤에

지호씨가 걱정 돼서 그랬는데, 방금 생각해 보니 함께하는 지금은 이 순간에 더 집중하는 게 맞겠더라고요. 남은 시간 동안 지호씨의 여자 친구로서 최선을 다 할 테니까, 그만큼 저에게 더 진심으로 대해주실 수 있죠?"

"제가 소현씨를 좋아하는 건 누가 뭐래도 진심이에요."

"저도 지호씨가 좋아요. 그러니까 우리 미련이 남지 않도록 진심을 다해요."

그녀는 나를 꽉 끌어안으며 자신의 귀를 내 심장에 데고 눈을 감았다. 잠시 뭔가를 고민하는 듯 '끄응'하고 앓는 소리를 내었다. 그렇게 3분쯤 지났을까? 소현씨가 결심을 내린듯 내 심장 소리보다 조금 더 큰 목소리로 말했다.

"사랑해요."

잠시 온 세상이 고요해졌다. 처음 들어보는 사랑 고백에 머릿속에 하얘진다. 그녀도 이 한마디를 하기 위해 얼마나 고민했을까? 사귀는 사이에 사랑한다는 말은 당연한 걸텐데. 나도 그녀도 한 번도 그 말을 한 적이 없다. 사랑하냐고 질문한 적은 있어도 그건 다른 경우니까. 지금은 나도 사랑한다고 말해야겠지? '사랑'이라는 두 글자가 머릿속을 가득 채운다. 여전히 내 심장소리를 들으며 눈을 감고 있는 소현씨를 바라본다. 내가 지금 느끼는 감정을 사랑이라고 간단하게 단정지을 수 있는 걸까? 소현씨는 여전히 아무 말 없이 나를 안고만 있다. 가만히 대답을 기다리고 있는 그녀를 보며 어렵게 입을 열었다.

"저........ 저도요........"
"바보."

사랑한다는 말을 처음 들어봐 정말 바보처럼 대답해버렸다.

그녀도 그 말을 기다렸을텐데. 부끄러움과 죄책감이 남아 나는 감히 그녀에게 사랑한다 말할 수 없었다. 나는 아직 사랑이 뭔지 정확히 모르니까. 이 어려운 단어를 이해했다는 확신이 생길 때, 그때 나도 감히 말해보고 싶다. 내가 대꾸를 하지 않으니 소현씨도 잠든 것처럼 더 이상 아무 말 하지 않았고 나도 입을 꾹 닫아 버렸다. 가을이 지나가고 겨울이 다가오며 점점 짧아지던 해는 아무도 모르게 어두워져갔다. 그리고 우리 둘은 그 상태로 조금 더 길어진 밤을 맞이했다. 오고가는 대화는 없었지만 어깨를 맞대고 있는 것 만으로도 많은 감정이 느껴졌다.

그 중 편안함이라는 이름의 수면제는 나를 깊은 잠으로 인도했다. 일찍 잠들었더니 아침은 일출과 함께 찾아왔다. 아직 푸른빛이 감도는 새벽이었지만 상쾌한 정신으로 일어날 수 있었다. 잠에서 깬 내가 뒤척임과 동시에 소현씨도 기다렸다는 듯 눈을 뜨고 나를 바라봤다. 내가 일어나기만을 기다린 그녀에게 눈웃음을 지어주며 아침인사를 대신하고 내가 씻으러 들어간 사이 소현씨는 남은 수제비를 다시 끓였다. 든든한 아침식사를 마치고 소현씨의 결혼식 의상을 구매하기 위해 밖으로 나갔다. 꽤나 차가워진 바람에 반사적으로 코트를 여미게 되는 날씨였다.

"오늘 저는 남들 눈에 안 보일 거 에요. 괜찮죠?"
"네. 그런데 옷 사러 가서는 입어 봐야 하지 않을까요?"
"괜찮아요. 제 사이즈는 제가 잘 아니까."
"그것보다 어떤 옷이 잘 어울릴지."
"고민 되면 여러 벌 사오면 되죠."
"그러네요. 그럼 출발해 볼까요?"

 오랜만에 드라이브도 할 겸 차를 몰고 파주로 향했다. 주말이라 그런지 차가 막혀 가는 길이 평탄치는 않았지만 함께 옷구경을 할 생각에 들뜬 소현씨와 대화를 하며 운전하는 길은 꽤나 즐거웠다. 나에게도 이번 기회에 정장 하나 맞춰야 한다며 나에게 어떤 색이 어울릴지 진지하게 고민하기 시작했다. 무난한 짙은 남색일지, 개성있는 옅은 회색일지 여느때보다 진지하게 토론 아닌 토론을 주고 받았다. 이렇게까지 열변을 토하는 소현씨의 모습을 보는 것도 오랜만이다. 내가 옷을 그렇게까지 못 입었었나? 이런저런 얘기를 나누며 매장에 도착하니 아까 길에 있었던 차들이 다 여기로 왔는지 주차장에 자리가 없을 정도로 사람이 많이 모여 있었다. 겨우 빈 자리를 찾아 주차하고 나니 소현씨가 먼저 내 옷을 고르러 가자며 손을 잡고 이끌어 갔다. 어리바리하게 정장 가게에 들어온 나를 보고 직원이 친절하게 말을 걸어왔다.

"찾으시는 스타일 있으신가요?"
"결혼식 때 입을 정장 맞추려고 왔는데요."
"결혼식이요. 그러면 이쪽에 남색 계열로 먼저 보시겠어요?"

 이번엔 직원에게 이끌려 옷을 보러 가는 나를 소현씨가 뒤따랐다.

"마음에 드시는 옷은 입어 보셔도 괜찮고요. 필요하신 거 있으시면 불러주세요."
"네 감사합니다."

 그 뒤로는 온전히 소현씨의 결정에 맡기고 정장을 몇 벌 입어봤다. 오랜만에 입어 보는 정장이 어색하고 불편했지만 거울 속의 내가 멋있어 보이긴 했다. 옷을 갈아입고 나온 날 보고 소현씨도, "정장 입으니까, 이렇게 멋있는데. 깔끔하고 얼마나 보기 좋아요." 라며 만족스러워했다. 내 눈에는 전부 비슷해 보이는 정장을 다섯 번이나 갈아입은 후에야 소현씨는 만족했고 거기에 맞는 와이셔츠와 넥타이까지 구매한 뒤에 내 차례가 끝이 났다. 이제 겨우 내 옷을 골랐을 뿐인데 체력을 다 소모한 기분이다. 커다란 쇼핑백을 들고 소현씨의 옷을 사러 가며 그녀는, "결혼식이니까 저도 역시 정장을 입는 게 좋겠죠?" 라고 혼잣말을 했다. 여성 정장 매장에 도착했지만 남자 혼자 들어오는 나를 보고 직원은 잠시 멈칫 한 뒤에 천천히 걸어와 물었다.

"안녕하세요, 혹시 여자친구 분 옷 보러 오셨나요?"

 나는 과하다 싶을 정도로 고개를 끄덕이며 긍정했다. 코트 자락이 흔들거리는게 느껴질 정도였다.

"네! 다음 주에 같이 결혼식에 가야해서요!"
"혹시 여자친구 분 사이즈는 아시나요?"
"44라던데요."
"되게 날씬하신가 보네요. 이쪽으로 오셔서 보시면 됩니다."

 소현씨는 어깨가 잔뜩 올라가서는 옷을 고르러 걸어갔다. 나는 그녀를 따라가 뒤에 서서 그녀가 고르는 옷을 꺼내 들어 보여줬다.

"그런데 소현씨한테 어울리는지는 어떻게 보죠?"
"이쪽 거울 앞으로 와 보실래요?"

 소현씨를 내 앞에 세우고 거울 앞에 섰지만 거울에는 옷을 들고 있는 내 모습만 비쳤다.

"소현씨가 안 보이는데요?"
"어쩔 수 없죠, 그건, 일단 제 위에 옷을 한 번 대 봐주실래요?"

 거울에는 여전히 옷만이 비쳤지만 그녀는 거울에 자신이

비친다고 생각하고 보고 있는듯했다. 그리고 뒤에서는 거울 앞에 서서 자신에게 여자 친구가 입을 옷을 대 보고 있는 한 남자를 바라보는 직원의 시선이 느껴졌다. 거울 속 내 어깨 너머로 눈빛이 보였지만 최선을 다해 모른 척 하며 소현씨에게 집중했다. 내 옷을 고를 때보다 신중하게 자신의 옷을 고르고 골라 작은 레이스가 가슴 가운데를 지나는 하얀 블라우스와 베이지색의 정장 세트를 골랐다. 입어 보는 건 집에 가서 해 보자며 일단 아울렛에서 나와 차에 올라 타 시동을 걸려고 하는 순간 형에게서 전화가 왔다.

"여보세요? 형 웬일이야?"
"혹시 축가 좀 불러줄 수 있겠냐?"
"축가를 갑자기?"
"아니, 원래 축가를 불러주기로 한 사람이 갑자기 급한 일이 생겼다고 다음 주에 못 오게 되었다고 그래서."
"형, 나, 노래 잘 못 하는 거 알잖아."
"지금은 어쩔 수 없어서, 지금 당장 다른 사람을 구하기도 힘들고."
"아무리 그래도 그렇지."
"30만원."
"오케이."

용건이 끝나자 형은 바로 전화를 끊었다. 30만원이라는 금액에 얼떨결에 수락해 버렸지만 뒤늦게 후회와 걱정이 밀려오기 시작했다. 노래를 잘 못 하기도 하지만 수 많은 하객들 앞에

서서 노래를 하라니. 300만원을 준다고 해도 수락하면 안 되는 거였는데. 최근 지출이 많아 반사적으로 그만 일을 저질렀다.

"지호씨 무슨 일이에요?"
"형이 갑자기 축가를 부탁해서요. 일단 하겠다고는 했는데 당황스럽네요."
"일주일 밖에 안 남았는데, 빨리 연습해야겠네요."
"뭘 불러야 하지......."
"어차피 우리같이 노래방 가기로 했었으니까, 가서 연습하면 되죠!"
"그럼 내일 갈까요?"
"내일만 가서 될까요? 며칠 연습해야 할 것 같은데."
"으아, 내가 미쳤지."
"일단 오늘은 집에 돌아가요."

집에 도착하니 이미 점심 먹을 시간이 훌쩍 지나 우선은 식사를 주문했다. 그리고 그 틈에 소현씨의 옷을 한 번 입어보기로 했다. 그녀는 자신의 옷을 꺼내 앞뒤로 한 번 보고 만족스러운 듯 고개를 끄덕였다.

"지금 바로 입어 볼 게요!"
"잠시 만요. 옷을 갈아입으려면 저는 잠시 어디."

내 말이 끝나기도 전에 그녀는 우선 블라우스부터 입었다.

아무렇지 않은 듯 옷을 입으니 그녀의 드레스가 가려졌다. 하의도 마찬가지로 치마에 다리를 집어넣고 올리니 웨딩드레스 같던 치마는 사라지고 무릎 살짝 위 까지 내려가는 일자형 치마가 그 자리를 대신했다. 마지막으로 외투를 걸치니 아까 거울 앞에선 그녀 앞에 있었던 옷이 그녀를 완벽히 감싸고 있었다. 순식간에 끝난 환복에 잠시 멍했지만 처음 보는 소현씨의 옷차림을 감상했다. 수수하지만 그녀의 일상적인 모습을 가장 잘 보여주던 회사 유니폼, 화려하면서 항상 그녀를 돋보이게 해주던 검은 드레스. 그 모든 모습이 다 좋았지만 지금 보이는 모습이 가장 궁금했던 자연스러운 옷차림이었다. 제일 자신에게 어울리는 옷으로 평범하지도 과하지도 않게 아름다운. 가볍게 박수를 치자 소현씨가 뿌듯한 표정으로 물었다.

"어때요 잘 어울려요?"
"네. 예쁘네요. 근데 어떻게 입은 거 에요? 갈아입는 것도 아니고……."
"아, 제가 원래 입고 다니는 옷이 곧 제 외형이기 때문에 그게 피부 같은 거 에요, 그 위에 옷을 입은 것뿐이죠."
"그럼 평소에는 알몸 같은 상태인가요?"

바보 같은 질문에 소현씨는 양팔로 가슴을 가리며 나를 째려봤다. 눈빛으로 당장에라도 내 눈을 뚫어 버릴 기세였다. 내가 생각해도 변태 같은 질문이라 멋쩍은 미소만 지으며 애먼 벽지만 쳐다 봤다. 아닌 걸 알면서도 나까지 민망해지는 상황이다.

"그런 건 아니거든요. 지호씨 응큼해요."

"죄송해요."

"그런데 옷이 생각보다 얇네요. 다리도 너무 휑하고, 요즘 날씨를 생각하면 스타킹도 신고 위에 코트라도 하나 걸쳐야겠어요."

"코트 사러 다시 나가야 하나요?"

"아뇨, 지호씨 코트 하나 빌리죠 뭐."

"키 차이 때문에 괜찮을까요?"

"일단 한 번 입어보죠 뭐."


 하지만 예상대로 내 코트는 그녀에게 너무 컸다. 코트 자락이 바닥에 끌리기 직전인 모습을 보며 나는 입을 가리고 웃음을 참았고 그러자 소현씨는 볼을 잔뜩 부풀리며 "알겠으니까, 코트 사러 나가요 우리." 라고 말했다. 나는 웃음을 참으며 "일단 밥 먹고 다시 나갔다 오죠." 라고 대답하며 코트를 건네 받았다. 당장에 입지 않을 옷들은 정리하고 밥을 먹고 나니 해가 기울어지기 시작한 늦은 오후였다. 너무 어두워지기 전에 우린 다시 밖으로 나갔다. 오늘 산 옷을 입고 팔짱을 끼고 사이좋은 여느 연인들처럼 걸으며 집 근처 쇼핑몰로 향했다. 이번에는 어색한 시선 없이 편하게 옷을 살 수 있었다. 소현씨가 마음에 드는 옷을 가리키고 내가 꺼내주고. 소현씨는 여전히 거울에 비치진 않았지만 코트를 걸친 모습을 나에게 보여주며 잘 어울리는지 물었다. 이 옷 저 옷 입어 보며 내 앞에서 빙그르르 도는 그녀의 모습이 귀여워 옷을 골라주는 건 뒷전으로 밀려나고 인형놀이 하듯이 가게 안에 있는 옷을 다 입혀 볼뻔

하다가, 이내 정신을 차리고 그녀에게 가장 어울리는 옷으로 골라 밖으로 나왔다.

"이제 집 가는 길에 편의점에서 스타킹만 사면 오늘 할 일은 끝!"
"많은 걸 한 건 아니지만 굉장히 피곤하네요."
"오늘 아침부터 운전하느라 고생했어요."
"덕분에 오늘도 일찍 잘 것 같네요."
"저녁은 제가 해줄 테니까, 푹 쉬세요."
"고마워요 소현씨."

 다음날, 노래연습을 위해 노래방을 방문했다. 친구들이랑 마지막으로 왔던 게 언제인지 기억도 안 나는데, 여자친구와 함께 왔다고 생각하니 그만큼 더 새로웠다. 새삼 이런 동전노래방도 많이 변했음을 느낀다. 천 원으로 부를 수 있는 노래 숫자는 줄었지만 그만큼 더 화려해진게 보인다. 방음도 전보다 좋아졌는지 노랫소리도 희미하게 들리는 정도다. 옛날에는 안에서 부르는게 다 들려 문 닫는게 의미가 있나 싶었는데. 만원짜리를 잔돈으로 바꾸고 적당히 비어있는 방으로 들어가 좁은 자리에 앉았다. 소현씨까지 앉고 나니 자연스럽게 리모컨은 내 허벅지 위에 놓였다. 잠겨 있던 목을 풀기 위해 부르기 쉬운 노래를 선곡해 불렀지만 오랜만에 불러 보는 노래는 어색하기만 했다. 음정이고 박자고 기억 나는게 없어 가사를 봐도 무슨 노래인지 모를 정도로 아수라장이 따로 없었다. 발성은 어떻게 했었는지, 한 곡을 마무리 했는데도 목이 풀린 건지

감이 오질 않는다. 소현씨는 내내 반대편으로 고개를 돌리고 웃음을 참고 있던데 어디서부터 해결해야 할지 몰라 일단 오늘 이곳에 온 주목적을 위해 축가 선곡을 하기로 했다.

"지호씨 축가로 부를 만한 노래 아는 거 있어요?"
"결혼식에 가 봐도 다들 어려운 노래만 불러서. 알아도 못 따라 부를 것 같던데⋯⋯."
"지호씨 목소리는 괜찮은데, 혼자 부르기 부담스러우면 같이 부를래요?"
"네? 괜찮겠어요?"
"재밌을 것 같아서요. 혹시 듀엣 곡은 잘 알아요?"
"그대 안의 블루?"
"지호씨 솔직히 말 해봐요, 저보다 나이 많죠?"
"저 달달한 노래는 못 듣겠단 말이에요."
"그렇다고 해도 노래가 너무 오래됐잖아요. 혹시 '우리 사랑 이대로' 라는 노래는 알아요?"
"알긴 알죠. 한 번도 안 불러 보긴 했는데."
"그럼 일단 해보죠. 제가 도와 드릴게요."

소현씨는 리모컨을 건네고 내가 노래 제목을 입력했다. 소현씨와 함께 노래를 부른다고 생각하니 긴장이 돼 손끝이 떨렸다. 둘이 부르면 어렵지 않을 거라고 자기 최면을 건다. 전주가 나오는 동안 심호흡을 하며 긴장을 풀고 있는데 소현씨의 목소리가 먼저 나에게 들어왔다. 청아하다는 표현이 정확할 목소리. 부드럽게 흐르는 계곡물처럼 나의 귀를 스쳐가는 노랫말에 한순간에 모든 긴장이 풀렸다. 화면에 나오는 가사를 보며 여유롭게 따라가는 그 모습에 넋이 나가 내 차례가 되었을 때 박자를 놓치고 말았다. 그녀가 나를 보며 마이크를 입으로 가져다 대며 웃는 모습을 보고 정신이 들어 뒤늦게 노래를 부르기 시작했으나 이번엔 음이 맞지 않았다. 그 모습에 소현씨는 당황하지 않고 나와 눈을 맞추며 음을 맞춰 주었다. 안정을 찾은 나는 다시 화면을 보며 침착하게 불러 나갔다. 남녀가 함께 부르는 부분에서도 내가 음을 틀리더라도 소현씨가 화음을 맞춰 주었기에 나름 듣기에는 좋은 노래가 되었다. 노래가 끝난 후에 내 어깨를 토닥이며 잘했다고 해주는 말에 기운이 나 으쓱해졌다.

"지호씨, 생각보다 음치네요."

다시 기운이 확 빠졌다.

"처음 불러 보는 노래라 그런 거거든요."
"농담이에요. 처음 부른 것 치곤 잘 불렀어요. 몇 번만 연습해 보면 잘 할 것 같은데요?"

소현씨의 말 한 마디에 기분이 붕 떴다가 가라앉았다가 하는 것이 마치 주인을 기다리는 강아지 같다. 괜히 자존심이 상해 삐진 티를 내 보려고 하면 이렇게 쉽게 풀어줘 버리니. 그냥 웃어넘기게 된다. 더 토 달 것 없이 같은 노래를 한 번 더 불렀다. 역시 두 번째가 되니 훨씬 편하게 부를 수 있었고 소현씨도 만족하는 눈치였다. 여러 번 반복해서 부르고 목이 쉬기 직전에 마무리를 하고 집으로 돌아왔다. 그냥 부르려고 해도 힘든데 축가 연습이라니. 집에 오자마자 쓰러져 누운 내 엉덩이를 소현씨가 토닥 거렸다. 최근 들어 그녀가 나를 대놓고 연하남 취급을 하는데 대들어 봤자 내가 질게 뻔해 가만히 받아 들였다.

"오늘 부른 노래 가사 되게 좋죠? 축가로 정말 좋은 것 같아요."
"그러게요, 특히 후반부에 '먼 훗날 삶이 힘겨울 때 서로 어깨에 기대기로 해요' 이 부분이 정말 좋았어요."
"저도 그 부분이 좋아요. 평생 서로에게 의지하고 살 수 있다면 얼마나 멋진 사랑일까요."

나는 그 말에 슬쩍 고개를 들어 소현씨의 표정을 확인했다. 천장을 올려다 보며 살짝 내려간 입꼬리. 그 이상 아무 말 하지 않았지만 나는 자리에서 일어나 그녀 옆에 앉았다. 그러자 고개를 돌리고 나를 바라보는 시선이 느껴졌다. 그 모습에 나도 멋진 말을 해보고싶었다.

"지금은 제 어깨에 기대어 있어요."
"이젠 제법 멋있는 말도 할 줄 알게 됐네요. 지호씨."
"소현씨를 만난 덕분이죠."

그녀의 머리가 내 어깨에 가볍게 걸쳐졌다. 나도 고개를 꺾어 그녀의 정수리와 내 볼을 맞대었다. 좋은 향기가 났다. 빗방울이 맺힌 수국 같은 시원한 향기. 본능이 이끄는대로 코를 가져가 그녀의 정수리 향을 한 껏 들이켰다. 함께 보냈던 장마기간을 연상 시키는 향이다. 추억들이 빗방울처럼 하나 둘씩 맺힌다.

"하...... 분위기 깨지마요."
"죄송해요. 향이 너무 좋아서."
"아직 가르쳐야 할게 많아 보이네요."

대답 대신 오른팔을 그녀의 허리에 두르고 내 쪽으로 가볍게 끌어 당겼다. 갑작스런 끌림에 놀란 그녀의 짧은 감탄사와 동시에 두 눈을 휘둥그레 뜬 얼굴을 마주했다. 당황했는지 시선을 아래로 내리고 얼굴을 붉히는 그녀가 더욱 사랑스러워 보였다. 마치 붉은 점을 가진 보랏빛 수국처럼.

"뭐에요? 갑자기......"
"소현씨는 이렇게 앉아주면 화 풀리잖아요."
"화난 건 아닌데, 그거 하난 확실히 배웠나 보네요 이제."

그녀가 내 품으로 깊게 파고 들었다. 양팔로 그녀를 마주 안고 있으니 다시 수국향이 올라왔다. 내 코는 꿀벌이 되어 자꾸만 그곳으로 향해 다가갔다. 싫다고는 하지만 본능이 이끄는 걸 거스르긴 어렵다.

"아이 진짜, 하지 말라니까요."

"이번만 봐줘요."

"알았어요. 다음에 또 그러면 혼낼거에요."

"그럼 지금 실컷 맡아 둬야겠네요."

길었던 지난 여름처럼, 이 순간이 영원했으면 좋겠다.

내 욕심과는 반대로 시간은 빠르게 흘러 가고, 긴장감 가득한 형의 결혼식날만 오고 말았다. 평소와 다르게 힘이 잔뜩 들어간 옷차림 때문인지 허리가 꼿꼿이 펴졌다. 소현씨는 그런 나를 보고 웃으며 좀 편하게 있으라며 팔짱을 껴줬다. 결혼식이 진행될 곳에 도착하니 예상대로 많은 사람들이 로비에 모여 있었다. 들어가기 직전 소현씨는 약간의 잔소리와 함께 나의 옷매무새를 다듬어 주었다. 주인공은 아니더라도 가족으로써 남들 앞에 단정하게 보여야 한다며. 나도 한 번더 넥타이를 고쳐 매며 마음을 다잡았다. 우리 형만 결혼을 하는게 아닐테니 당연한거지만 발 디딜틈 없이 사람들이 가득했다. 인파 사이를 뚫고 우리 가족들을 찾으려니 정신이 하나도 없었다. 행여나 소현씨를 놓칠까봐 팔에 힘을 꽉 주고 축의금 내는 곳으로 가보니 부모님께서 서서 하객분들과 인사를 하고 계셨다. 나를 발견하시고는 아빠가 먼저 손을 흔들었다. 나도 인사를 하며 부모님 앞에 서니 나보다 소현씨를 더 반가워 하셨다.

"어머, 아가씨가 우리 지호 여자친구인가 보네요? 만나서 반가워요."

"처음 뵙겠습니다 어머님, 진소현이라고 합니다."

"아이고, 예의도 바르고, 어쩜 이렇게 예쁠까. 아들 이렇게 고운 여자친구를 너 혼자 보려고 숨겨둔거야?"

"아니, 그런게 아니라, 아직 인사 드릴 때가 아닌 것 같아서."

"우리야 그냥 얼굴 보고 싶다는 거였지 다른 의미 없었어."

"어머님도 잘 아시다시피 지호가 부끄러움이 많아서 그런거죠."

"그렇죠, 자기 형이랑은 다르게 소심해 가지고. 그런데 아가씨, 지호 보다 동생 아니었어요?"

"제가 한 살 누나입니다. 어머님."

"미안해요! 너무 동안이라 당연히 지호보다 어린 줄 알고 그만."

"어리게 봐 주시면 저야 더 감사하죠."

"어쩜, 보면 볼수록 더 마음에 드네. 여기까지 와 줘서 고마워요. 식 보고 맛있는거 많이 먹고 가요."

"감사합니다. 어머님."


엄마가 더 이상 소현씨에게 눈독 들이기 전에 대화 화제를 돌려야했다. 형의 결혼식 자리에 데려온 나의 첫 여자친구, 부모님의 성격상 주제가 결혼으로 이어질건 뻔하니까. 그건 아무래도 곤란하다. 나는 눈치를 살피며 머리를 굴리다가 아무 말 없이 서 계신 아빠에게 물었다.


"아빠, 형은 어디 있어?"

"잠깐 화장실 간다 그랬는데, 아 저기 오네."

짙은 검은색의 정장에 한껏 멋을 낸 머리, 요즘은 신랑도 화장을 하는지 평소보다 진해진 인상의 형은 정말 인정하기 싫지만 내가 봐도 멋있긴 했다. 우리를 발견하고 자연스럽게 이쪽으로 걸어와 내가 아닌 소현씨에게 먼저 인사를 했다.

"제수씨 와 주셨네요. 감사합니다."
"별 말씀을요. 결혼 축하드려요."
"감사합니다. 그러고 보니 지호 말로는 오늘 축가를 같이 불러 주신다고."
"네, 지호가 혼자 부르기 부끄럽다고 같이 불러 달라지 뭐에요."
"하긴 그 녀석 노래 실력이 좀 그렇긴하죠."
"형, 나 바로 옆에 있거든."
"그래서 제가 많이 연습 시켰으니까. 걱정 마세요."
"그럼 오늘 잘 부탁드리겠습니다. 시작 전에 리허설 한 번 해 보시겠어요?"
"네 좋죠!"
"이쪽으로 오시면 됩니다."

소현씨는 형을 따라 나는 그녀를 따라 식장으로 들어갔다. 전 행사가 방금 끝나 아직 정리 중이었지만 양해를 구하고 미리 음향 시설등을 확인해 볼 수 있었다. 단상 위로 올라가니 강렬한 조명이 내려쫴서 반사적으로 눈을 가렸지만 그 모습을 본 직원분께서 본 행사때는 불을 모두 끌 것이기 때문에 걱정하지 말라고 하셨다. 조명을 피해 몸을 옆으로 돌리니 소현씨는 이미 마이크를 잡고 들뜬 목소리로 음량을 확인하고 있었다. 아 아. 하는 말을 몇 번 반복하고는 만족했는지 고개를 끄덕이고 남은 마이크 하나를 나에게 넘겨 주었다. 리허설이지만 손에서 땀이 삐져 나오는게 느껴졌다. 연습은 많이 했지만 막상 실전에 닥치니 긴장 되는건 어쩔 수 없나 보다. 목이 말라서 침을 한 번 삼키고 헛기침을 했다. 그 소리에 직원분이 물 한 병을 가져다 주셨다. 물을 반 병 가까이 마셨지만 갈증이 사라지지 않는다. 오히려 성대에 모래가 낀 것처럼 메말라 가는 기분이다. 그렇다고 너무 많이 마시면 화장실을 못 참을 거고. 내가 멍한 눈으로 물을 한 모금 더 마시려고 하자 소현씨가 말했다.

"지호씨, 긴장하지 말고 연습했던 대로만 하면 돼요."

나는 말 없이 웃기만 했다. 리허설이지만 완벽하게 하고싶다. 마지막 연습이니까. 심호흡을 하고 준비 됐다는 신호를 보내니 반주가 흘러 나온다. 여기는 노래방이다라고 생각하며 안정을 찾아본다. 다만 조명이 좀 밝을 뿐. 연습한대로만 하면 된다. 목을 가다듬고 내가 맡은 부분을 부르기 시작한다. 처음엔 긴장했지만 소현씨만 보며 부르니 편안해졌다. 아무도 눈에 들어오지 않는다. 지금 이 자리에 나의 연인, 그녀에게 노래로 나의 마음을 전하는 거다. 이내 호흡과 음정이 안정을 찾고 우리는 우리만의 하모니를 맞춰 나갔다. 잠시 후 두 번째 연습이 끝나자 형이 나를 찾았다.

"가자 너네 형수님한테 인사 드려야지."
"난 형수님을 결혼식장에서 처음 뵙게 될 거라곤 상상도 못했는데."
"따라 오기나 해."

나는 형을 따라 신부 대기실로 갔고, 소현씨는 예식장 안에서 잠시 기다리고 있겠다고 했다. 형수님의 친구분들로 보이는 하객들이 먼저 사진을 찍고 있었고 나는 그 앞에 서서 잠시 대기했다. 순백의 드레스를 입고 하객들에게 둘러 쌓인 모습. 화려한 조명 아래 빛나는 밝은 미소, 여자의 일생에 가장 아름다운 순간이 결혼식이라는 말이 이래서 나오는구나. 화장과 의상도 한 몫 하겠지만 저 미소가 그 사람을 가장 아름다워 보이게 하는 것 같다. 이 날 이 시간에 세상 누구보다 행복할 사람의 미소가. 앞선 하객들이 퇴장하고 형수님이 나와 형을 보고 웃으며 손짓한다. 나는 앞으로 달려가 허리를 숙이고 정식으로 인사를 건넸다.

"안녕하세요. 형수님. 결혼 축하드립니다."
"감사해요. 그리고 만나서 반가워요. 이야기는 많이 들었는데 이제야 만나네요."
"진작에 인사 드렸어야 했는데 죄송하네요."
"아니에요. 앞으로 계속 볼텐데요 뭘."

화사한 미소로 보답 받고 사진을 찍기 위해 준비된 소파에 앉았다. 이쪽을 보고 웃으라는 사진기사님의 안내를 따라 시선을 고정하고 미소를 지었다. 연이은 카메라 셔터 소리가 지나고 자리에서 일어나 한 번 더 인사를 한 뒤 밖으로 나왔다. 짧은 만남에 행여나 실수 한 건 없을지 되짚어 보며 예식장 안으로 다시 들어갔다. 소현씨는 무대에서 내려와 하객석에 앉아 있었기에 옆에 비어 있는 자리로 가 앉았다.

"인사 잘 하고 왔어요?"
"네. 인사 드리는 것도 엄청 긴장 되네요."
"지호씨에게도 새로운 가족이 생기는 거니까요."
"그렇게 말하니 신기하네요. 결혼이라는거."
"그렇죠, 참 신기하고 대단한거죠."

소현씨는 그렇게 말하며 결혼식 준비가 한창인 사람들을 바라 보았다. 청소를 마치고 분주하게 단상 위치를 조정하고 조명을 확인하고 오늘 결혼하는 두 사람을 위해 최선을 다하는 모습이 조금 새롭게 느껴졌다. 나와 소현씨도 곧 있음 그 두 사람을 위해서 노래를 불러야 하기도 하고. 평생 남으로 살아오다가 인연이 닿아 연인이 되고 이제 영원을 약속하는 부부가 된다. 그리고 그 출발점에 모여 축복해주는 사람들. 결혼의 의미가 한층 더 풍성해진다. 시간이 되자 하객들이 들어왔고 빈 자리들은 순식간에 채워졌다. 흘긋흘긋 뒤를 돌아보며 밀려 들어오는 사람들을 보니 긴장감에 심장이 터질 것 같았다. 그런 나를 보고 소현씨가 손을 잡아주며 안심 시켜 주려 했지만 이 많은 사람들 앞에서 노래를 해야 한다니 코앞에 다가온 현실을 부정하고 싶다. 저번 주만 해도 상상도 못한 일이었는데....... 그래서인지 식이 어떻게 진행 됐는지도 기억이 나질 않는다. 어느새 나는 핀포인트 조명을 받으며 마이크를 잡고 있었고 내 앞에는 좀 전까지만 해도 내 뒤에 앉아 있던 사람들이 나를 마주 보고 있었다. 모든 시선이 나와 소현씨에게 집중 되었다. 만약 나 혼자 올라왔다면 부담감에 입 조차 떼지 못했을 것이다. 함께 해준 그녀에게 진심으로 고맙다고 생각했다. 연습한대로만. 흘러나오기 시작한 반주와 함께 나 자신에게 되뇌었다. 소현씨가 먼저 노래를 시작하며 리드를 잡아 주니 나도 자연스럽게 분위기를 따라 갈 수 있었다. 내 앞에 있는 사람들이 아닌, 그녀만을 바라보며 잠시 우리만의 세상에 스며 들어갔다. 덕분에 오히려 연습할 때보다 더 안정된 음정으로 노래를 할 수 있었다. 어느때보다 진심을 담아. 한소절 한소절. 노래가 끝남과 동시에 박수갈채를 받으며 다시 자리로 돌아왔다. 자리에 앉자마자 제대로 못 쉰 숨을 몰아 쉬자 소현씨가 등을 두들겨 주며 잘했다고 칭찬해주었다. 그제야 내 역할이 끝났다는 안도감이 밀려왔다.

이후에는 평범한 결혼식으로 진행 되었다. 마지막으로 단체사진을 찍고 나와 밥도 먹고 가라는 부모님의 권유를 소현씨의 다이어트를 핑계로 거절하고 집으로 돌아왔다. 부모님께서는 아쉬워 하셨지만 다음에 인사 드리겠다며 식권은 수건으로 교환하며 알뜰하게 챙길 건 다 챙겨 왔다. 집에 도착하니 형의 고맙다는 문자와 함께 약속한 용돈이 입금 되어 있었다. 그래도 결혼식을 망치진 않았다는 안도감에 온 몸이 늘어졌다. 그 모습이 해변으로 밀려 나온 해파리 같다며 소현씨가 웃었지만 그 말에 반박할 기운 조차 없었기에 가만히 누워 있었다. 그렇게 있다가 받아온 수건을 정리하겠다고 화장실로 들어가던 소현씨의 뒷모습을 보다가 그대로 잠이 들었던 것 같다. 온 몸을 조이는 정장의 답답함 때문에 눈을 떠보니 이미 해가 진 시간이었다. 비몽사몽 간에 옷을 벗다가 창 밖을 바라 보고 있는 소현씨가 보였다. 무릎을 꿇고 앉아 작은 창문으로 들어오는 달빛을 받고 있는 그녀의 모습은 가히 성스러웠다. 누군가에게 기도를 올리는 듯한 자세로 그녀는 어떤 생각을 하고 있을까. 방해가 될까봐 조용히 옷을 갈아 입고 다시 자리에 누웠는데 뭔가 이상했다. 자세히 보니 빛이 소현씨를 통과하고 있었다. 소현씨에게 그림자가 생기지 않는다는 것은 알고 있었지만, 이건 확실히 이상했다. 그녀의 머리칼 너머로 창틀이 희미하게 보였다. 그제야 확신이 들었다. 소현씨가 반투명하게 보인다고. 자리를 박차고 일어나 그녀를 뒤에서 안았다. 가만히 있다간 그녀가 사라져 버릴 것만 같아서. 다행히 소현씨는 품에 안겼고 깜짝 놀랐는지 당황한 목소리로 내 이름을 불렀다.

"소현씨 사라지면 안돼요. 가지마요."
"네? 지호씨 자다 말고 갑자기 무슨 말이에요."
"지금 소현씨 투명하게 보인단 말이에요. 사라지는거 아니에요?"
"아, 그거요? 아니에요. 아마 요즘 사람들 앞에서 모습을 많이 드러내다 보니 양기가 떨어져서 그런 것 같아요."
"사라지는거 아니죠?"
"아직 소원 다 못 이뤘잖아요. 걱정마세요."

"다행이다. 그럼 양기 보충은 어떻게 해요?"
"이리 와 봐요."

　소현씨는 내 팔 안에서 빙글 돌아 나를 마주보고 진하게 입을 맞췄다. 달빛이 눈이 부셔 눈을 감았다. 이렇게 하면 내 기운을 나눠 주는건가? 그런거겠지. 그녀를 위해서라면 그깟 양기 쯤이야 뭐. 우리 둘의 입술이 떨어지고 나서 눈을 떴지만 소현씨는 여전히 반투명하게 보였다.

"소현씨 아직 투명하게 보이는데요?"
"당연하죠."
"키스하면 양기 보충 되는거 아니었어요?"
"그건 그냥 제가 없어질까봐 놀라서 자다 말고 달려온 지호씨가 귀여워서 한건데요."
"그럼 양기 보충은 어떻게 하는 거에요?"
"이럴 때를 대비해서 소원 목록에 등산을 넣어뒀죠. 산에 가면 기운이 보충 될 거에요."
"다행이네요. 그리고 놀리지 좀 마세요. 깜짝 깜짝 놀란단 말이에요."
"지호씨 반응이 너무 재밌는 걸 어떡해요. 아 맞다. 양기 보충 받을 방법이 하나 더 있긴해요."
"뭐에요?"

　소현씨는 씨익 웃고는 내 귀에다가 조용하게 "귀접이요."라고 속삭이고는 음흉한 미소를 지었다. 어두워서 잘 보이지 않았겠지만 나는 얼굴이 순식간에 달아 오르는게 느껴졌다. 아무리 그래도 그렇지 갑자기 성적인 이야기를. 어차피 그녀도 나와 진심으로 하려는 생각은 아닐거고, 이건 농담이 분명하다. 나를 놀리려는 의도가 다분히 느껴졌기 때문에, "놀리지 마요!"라고 말하고 다시 자리에 누웠다. 이불을 머리 끝까지 뒤집어 쓰고 있으니 소현씨가 이불 안으로 들어와 나를 뒤에서 감싸 안았다.

"안 해줄거에요?"
"내일 등산 가야 하니까 일찍 일어나야죠."
"역시 순수하고 귀엽네요."
"자꾸 놀리면 저 화내요."
"알았어요. 이제 안 놀릴게요."

그녀의 팔이 나를 잡아 당겼고 가슴이 등에 닿는게 느껴졌다. 소현씨의 손이나 얼굴과는 다른 부드러운 감촉에 체온이 오르고 숨이 거칠어졌다. 이제 안 놀린다더니 소현씨도 정말 너무 한다는 생각이 든 순간 그녀가 떨리는 목소리로 말했다. "고마워요. 잘자요." 그 말에 흥분이 가라 앉았지만 잠은 오지 않았다. 갑자기 고맙다니. 그건 무슨 의미일까. 소현씨도 더 이상 아무 말도 하지 않았기에 나는 가만히 누워 그녀에게 안겨 있는 기분을 만끽했다. 갓난아기였던 시절의 요람같은 포근함에 마음이 평안해졌다. 잠이 오진 않았지만 피곤하지도 않았다. 눈을 감고만 있어도 좋았다. 행여나 소현씨가 불편할까 뒤척이지도 않고 밤새도록 포근함을 온 몸으로 받아 들였다. 시간은 비록 찬찬히 흘러 갔지만 해가 떠오르면서 방이 밝아 왔고 몸을 돌려 소현씨를 마주 보고 아침인사를 했다.

"지호씨 안 잤어요?"
"일찍 잤더니 잠이 안 와서요."
"안 피곤하겠어요?"
"괜찮아요. 소현씨 덕분에 푹 쉬었어요. 바로 가볼까요?"
"그렇게 급하게 갈 것 없어요. 일단 씻고 와요 도시락 만들고 있을게요."
"네. 맛있게 해주세요."

 화장실에 들어가 옷을 벗으니 땀 때문에 달라 붙어 잘 벗어지지 않았다. 이제 완전히 가을인데 자면서 땀을 이렇게나 흘리다니. 대충 씻고 샤워는 등산 후에 하려고 했는데, 이러면 샤워를 먼저 해야겠다. 먼저 이를 닦는데 창문으로 들어오는 바람에 온 몸이 서늘했다. 빨리 온수로 몸을 덥히고 싶어져 양치는 대충하게 됐다. 샤워기에서 나오는 따뜻한 물을 맞으며 밤새 흘린 땀을 씻어 내니 노곤함이 밀려왔다. 그렇다고 잠들면 안되기 때문에 잠시 물을 끄고 찬 바람을 맞으며 온 몸에 급하게 비누칠을 했다. 그리고 몸을 헹구는 중에 중요한 사실을 하나 깨달았다. 갈아 입을 옷을 안 들고 들어왔다. 소현씨와 함께 지내면서 항상 화장실에서 옷을 갈아 입었었는데 이런 실수를 하다니. 일단 몸을 닦고 문을 살짝 열어 얼굴만 내밀고 소현씨를 불렀다. 한창 요리 중이었던 그녀는 뒤돌아 보지 않고 대답했다.

"네?"

"제가 갈아 입을 옷을 안 들고 들어왔는데, 혹시 가져다 주실 수 있나요?"

"지금 조금 바쁜데, 안 볼테니까. 나와서 옷 빨리 입으세요."

"후....... 절대 뒤돌아 보면 안돼요."

우선 수건으로 중요한 곳만 가리고 뛰쳐 나와 군대에서 환복 하던 기억을 떠올리며 급하게 옷을 입었다. 웃옷을 입을 때 젖은 머리칼 때문에 목 부분이 젖었지만 어쩔 수 없었다. 소현씨가 또 장난친다고 고개를 돌리는 척 했던 것 같았는데. 그거에 대해선 아무 말 하지 않고 옷을 다 입었다고만 얘기했다. 어차피 가리고 있었으니 못 봤을 거다. 내가 머리를 말리는 동안 소현씨도 도시락을 완성하고 준비가 됐다며 작은 가방을 나에게 건넸다. 한 손엔 가방을 한 손은 소현씨의 손을 잡고 밖으로 나갔다. 눈이 시릴 정도로 푸른 가을하늘이 우리를 반겨주었다. 적당한 양의 구름, 높은 태양. 시원한 바람까지. 산에 오르기 완벽한 날씨다. 차에 타서 네비게이션을 찍으려다가 멈칫하며 소현씨에게 물었다.

"어느 산으로 갈까요?"

"좀 멀긴 하지만, 아차산 괜찮을까요?"

"아차산. 네. 차 타고 가면 갈 만하니까요."

소현씨가 아무 말 없이 창 밖만 바라 보고 있길래 질문을 하나 했다.

"아차산에 가는 특별한 이유가 있나요? 가까운 관악산도 있는
데."

"지호씨, 바보온달과 평강공주 이야기 알죠?"

"네, 바보였던 온달과 결혼한 평강공주가 그를 고구려의 장군
으로 만들었다는 이야기."

"역시 같은 바보라서 잘 아네요. 그런 온달이 장수로서 백제와
싸웠던 곳 중 하나가 아차산이라고 해서요."

"저는 그정도로 바보는 아니거든요."

"그럼 지호씨는 어떻게 생각해요? 평강공주는 바보온달을 진
심으로 사랑했을까요?"

"그렇게 사람을 개과천선 시킨거 보면 진심 아니었을까요?"

"다행이네요. 지호씨가 감성이 지나치게 메마른 사람은 아니라
서."

"칭찬이죠 그거?"

"아마도요. 그럼 그 이야기의 마지막은 알아요?"

"아니요, 제가 들은건 온달이 장수가 됐다에서 끝이라."

"온달은 전쟁 중 온달산성에서 전사해요. 전해지는 이야기에
따르면 온달의 관이 땅에 붙어 움직이지 않자 평강공주가 와
고국으로 돌아가자며 달래서 관을 가져 올 수 있었다고 해요.
그렇게 이야기가 끝이나죠."

"뒷 이야기가 잘 안 알려진 이유가 있었네요."

"그렇죠. 사람들은 밝은 이야기만 듣고 싶어하니까. 여기서 제
가 궁금한건 평강공주가 그 이후에 어떻게 살았을지에요."

"음……"

"평생 온달을 그리워하며 혼자 살았을까요? 아니면 지난

사랑은 가슴에 묻고 다른 사람을 만났을까요.”
“그건 본인만 알지 않을까요?”
“오늘 그 본인을 만나면 좋겠네요.”
“그래서 아차산에 가자고 한거에요?”
“딩동댕동. 귀신은 자기 이야기가 있는 곳을 좋아하거든요.”
“조금 무섭지만, 일단 가보죠.”
“귀신이랑 같이 몇 달을 살았으면서 무섭기는.”
“하하.”


 역사책에서나 보던 인물을 오늘 귀신으로 만날지도 모른다는 생각에 반 투명한 소현씨의 모습도 서늘하게 느껴졌다. 그녀의 뒷통수 넘어로 보이는 평범한 바깥 풍경마저 괜시레 을씨년스럽다. 농담을 좋아하는 그녀이기에 이 또한 장난이라고 믿고 싶었지만 진지한 목소리와 기대감에 가득찬 표정이 진담이라고 말해주고 있다. 어쩌지 정말. 내 눈에는 안 보이는 거 맞겠지? 손바닥에서 스며 나온 땀 때문에 운전대가 축축해졌다. 평강공주님이 이승에 남은 한은 없어야 할텐데. 고조되는 나의 긴장감이 무색하게 목적지는 점점 다가왔다. 주차장에 차를 대고서도 문을 열 용기가 나지 않았다. 내리자마자 귀신 부부가 나타나면 어떡하지? 여전히 운전대를 놓지 못하고 있는데 창문을 두들기는 소리에 화들짝 놀라며 고개를 돌렸더니 소현씨가 밖에서 기다리고 있었다.


“저 소현씨, 뜬금없지만 산에는 귀신이 많나요?”
“네! 새벽에 말했듯이 양기가 가득하기 때문에 많이 몰리는 편이죠."

"저 안 내리면 안될까요......."

"여기까지 왔는데 산에 안 오르면 아쉽잖아요. 그리고 저 말고는 눈에 안 보일테니 걱정마세요."

 그녀가 차 밖에서 문을 열었고 나는 엄마 손에 이끌려 치과에 가는 어린아이처럼 반 강제로 끌려갔다. 다 큰 어른이 산 아래 주차장에서 엉엉 우는 추태를 보일 순 없으니 애써 태연한 척 했지만 주택들을 뒤로하고 산의 입구가 다가올수록 다리가 후들거렸다. 등산로에 발을 딛자 흙이 밟히는 소리가 났다. 걱정과는 다르게 오랜만에 밟아 보는 흙에 기분이 고조됐다. 딱딱한 아스팔트 바닥을 벗어나 자연 속 길을 걷는 기분은 순식간에 긴장감을 풀어주었고, 어디선가 산들바람이 불어왔다. 나뭇잎들이 흔들리며 부딪히는 소리가 시원한 물을 뿜는 샤워기 같았다. 이래서 산림욕이라는 표현을 쓰는구나. 맑은 공기가 몸 속에 쌓인 이물질들도 밀어내주는 듯하다. 소현씨도 양팔을 벌리고 숨을 크게 들이 쉬었다. 그러면서 "물론 저는 숨을 못 쉬지만요." 라며 농담을 던지는 그녀와 마주보고 웃으며 천천히 걸어갔다. 오감으로 산을 느끼는 중에 소현씨가 점점 또렷해졌다.

"이제 다시 잘 보이네요 소현씨."

"그러니까 제가 사라진다고 걱정하지 마세요."

 등산로를 오르다 보니 '아차산성'을 가리키는 이정표가

보였다. 소현씨는 손짓으로 그 쪽으로 가보자며 신호를 보냈다. 길이 험해 보이긴 했지만, 열심히 그녀를 뒤따랐다. 경사가 높아지며 숨이 점점 차올랐고, 등에 맨 가방도 너무 무겁게 느껴졌다. 내 거친 숨소리에 소현씨가 뒤돌아 보더니 마침 눈 앞에 보인 바위에 잠시 앉아 쉬어 가자고 제안했다. 가방을 내려 놓으니 땀에 젖은 등이 바람을 맞아 시원해졌다. 숨은 차지만 이런 상쾌한 기분을 위해 등산을 하는구나.

나무 넘어로 살짝 보이는 도시의 풍경을 바라보았다. 정갈하게 만들어진 도로위 수직으로 솟은 빌딩들. 그 사이로 분주히 달리는 자동차들과 눈에 보이진 않지만 열심히 걷고 있을 사람들. 방금 전까지 저 사이에 있다가 높은 곳에 올라와 내려다 보니 내가 얼마나 작은 존재인지 다시 한 번 느껴진다. 이 세상도 이렇게 작은데 말이다. 내가 잠시 멍하니 있자 소현씨가 물었다.

"지호씨 많이 힘들어요?"
"솔직히 걷는건 힘든데 상쾌하긴 하네요. 경치도 좋고."
"그게 등산의 매력이죠. 천천히 가도 되니까 충분히 쉬고 가요."

10분 정도 앉아 있었을까. 땀이 다 마르고 다시 기운이 나 일어나 걷기 시작했다. 더 높이 올라갈수록 나무들 사이로 보이는 경치가 아름다웠고 목적지가 가까워 올수록 더욱 힘내서 걸을 수 있었다. 산성 앞에 도착해서 나는 잔디밭에 주저

앉았고 소현씨는 무언갈 보더니 "저기 있어요!"라고 말하며 달려갔다. 그녀는 허공에 대고 누군가와 대화하기 시작했다. 등산이 주는 쾌감에 잠시 잊고 있었는데 오늘 귀신 만나러 온 거였지 참. 그럼 옆에 서 계신 눈에 보이지 않는 저 분이 말로만 듣던.

"지호씨, 평강공주님이에요."
"제 눈엔 안 보이시지만 만나서 반갑습니다."
"공주님, 혹시 질문 몇 개만 해도 될까요? 정말요? 감사해요. 온달님은요? 아 출장 가셨어요?"

 오랜만에 만난 친구와 대화하는 것처럼 잔뜩 신이난 소현씨를 가만히 지켜 보다가, 그녀가 옆으로 오라고 손짓하길래 그녀 옆에 앉았다. 길게 자란 잔디는 방석처럼 푹신했다. 잠시 앉았을 뿐인데 등산의 피로가 순식간에 풀리는 느낌이다. 그리고 소현씨는 계속해서 대화를 이어갔다. 평강공주의 대답은 자기가 전해주겠다며 나에게 잘 들으라고 신신당부했다.

"이 남자는 제 남자친구에요. 네 낭군 비슷하죠. 잘해주죠 물론. 아, 저 궁금했던게 처음에 온달님하고 결혼했을 때 어땠어요? 아차싫었다고요? 공주님 말 재밌게하신다. 아. 그래도 같이 살다 보니 정도 생기고 애틋하셨어요? 어머. 어머어머. 이 이야기는 지호씨한테 안 해야겠다. 그리고 제가 정말 궁금했던 건, 온달님이 먼저 돌아 가시고 나서 어떻게 지내셨어요? 평생을 혼자 살았어요? 그 당시엔 어쩔 수 없었다고, 온달님껜 비밀로 해요? 알겠어요. 그래도 산 사람은 어쩔 수 없이 살아가야 하니까....... 그게 맞는 말이네요. 고마워요 공주님, 덕분에 궁금증이 풀렸어요. 공주님도 오랜만에 대화해서 즐거웠다니 저도 감사하네요. 안녕히계세요.”

　소현씨는 내 손을 잡아 일으켜 다시 산을 내려갔다. 그리고 조용하게 말했다.

“그렇다네요.”
“대화 해보니까 어때요?”
“궁금증이 해결된건 좋은데 왠지 허무하기도 하고 그렇네요. 하산할까요 그럼?”

　내리막길을 내려가는 그녀의 뒷모습을 바라 보다가 문득 남은 소원이 생각났다. 이걸로 벌써 7번째 소원. 앞으로 3개의 소원을 이루면 소현씨가 떠난다. 거기다 이제 남은 소원들은 술 마시기, 보름달 보기, 그리고 ‘비밀’로 마음만 먹으면 오늘 안에도 다 할 수 있는 것들이다. 반사적으로 그녀의 손목을 잡았다. 소현씨는 놀란 표정으로 뒤돌았지만 내가 하려던 말은 바로 나오지 않고 버벅 거렸다. 어떻게 표현해야 좋을까. 입안을 맴돌며 좀처럼 나오지 않는 말을 소현씨가 먼저 꺼냈다.

“좀 더 있다 갈까요?”
“네. 아쉽잖아요.”
“지호씨가 힘들까봐 빨리 가자고 한건데.”

"괜찮아요. 산에 왔으면 정상은 찍고 가야죠."

소현씨는 활짝 웃으며 폴짝폴짝 뛰기 시작했다. 어디선가 이름 모를 새가 우는 소리가 났고, 나도 그녀를 따라 내리막길을 천천히 내려갔다. 조금 걷다 보니 능선을 따라 걷는 평평한 길이 나와 걷기가 수월해졌다. 좀 전에도 바라 봤었지만 나무사이로 내려다 보이는 서울의 풍경이 여러 장의 사진처럼 내발걸음을 따라 변한다. 이게 등산의 매력이구나.

이 풍경을 소현씨와 나누고 싶어서 그녀에게 다가가 말했다.

"소현씨 저기 봐봐요. 경치가 너무 좋아요."
"정말 가슴이 뻥 뚫리네요."
"이래서 사람들이 등산을 좋아하나보네요."
"그렇죠. 정상에 도착해서 보면 탁 트인 풍경이 더 좋을걸요?"
"얼른 올라가 봐요 그럼!"

다시 길이 험해졌지만 정상에서 바라볼 풍경에 대한 기대감이 다리에 힘을 줬다. 차오르는 숨을 고르며 한 발짝씩 고지를 향해 나아갔다. 그렇게 도착한 정상에서 다리가 풀려 주저 앉았지만 성취감에 웃음이 나왔다. 소현씨는 고생했다며 내 볼을 쓰다듬어 주었다. 충분한 휴식을 취하고 소현씨가 내민 손을 잡고 일어서니 산 아래 사방으로 트인 풍경이 병풍을 이뤘다. 중턱에서 바라본 것과는 한 차원 다른 눈높이에 올라오니 자동차들도 보이지 않았고 빌딩들도 더 작아진 모형으로 보였다. 시원한 바람이 불어 땀을 말려주는 상쾌한 기분에 절로 야호 소리가 나왔다. 주변에 다른 사람이 없음을 확인하고 크게 숨을 들이쉰 뒤, 함성을 지르며 내뱉었다. 상쾌한 공기가 몸 안을 맴돌았다. 얼마만에 느껴보는 기분인가.

"같이 올라와 주느라 고생했어요."
"아니에요. 고생해서 올라온 보람이 있네요."
"지호씨."
"네?"
"살아있다고 느껴지지 않아요?"

가슴을 후벼 파는 질문이다. 지금까지 난 살아 있지만 죽은 것처럼 지내왔다. 무기력함. 무의미함에 갇혀 아무 것도 하지 않고 말 그대로 죽지 못해 살아온 날들이 주마등처럼 스쳐 지나간다. 살아있었다고 말하기도 부끄러워진 나는 질문에 대답하지 못하고 산 아래를 멍하니 내려다 봤고 소현씨도 아무 말 하지 않았다. 땀을 흘리고 거친 숨을 쉬고, 근육에서 피로가 느껴지고, 심장이 뛴다. 힘겹게 산을 올라 아름다운 풍경이라는 보상을 받으며 거기서 성취감을 얻는다. 나는 살아있다. 손을 뻗어 소현씨의 손을 잡고 떠오른 대답을 건넸다.

"덕분이에요."
"그거면 된 거에요. 그나저나 배 안 고파요?"
"잠시 깜빡했네요. 여기서 밥 먹어도 괜찮겠죠?"

"뒷정리만 잘 한다면요."

  소현씨가 준비해준 도시락을 꺼내 먹으니 옛날에 아빠가 해준 이야기가 생각났다. 세상에서 가장 맛있는 라면은 산 정상에서 먹는 라면이라고. 등산을 해 본 적이 없는 나는 당연히 그 말이 이해가 되지 않았었다. 그런데 달콤하게 느껴지는 밥을 씹으니 회복 되는 기운이 아빠의 말을 이해 시켜주었다. 정말이지 오늘 먹은 밥은 그 어느 때 보다 맛있었다. 그리고 일주일 뒤 형이 차를 돌려주고 오는데 소현씨가 문 앞에 서서 기다리고 있었다. 팔짱을 끼고 볼을 부풀린거 보니 화가 나 있음을 짐작했지만 이번엔 그 이유를 알았기에 나도 모르게 눈을 피하고 말았다. 하지만 더 이상 질질 끌 순 없었다. 소현씨의 소원을 거의 다 이룬 시점에서 남은 소원을 미루다 보면 조금이라도 더 함께 할 수 있으니까. 그녀를 보내기 싫다는 욕심이 그녀를 피한다는 바보 같은 선택을 하게 했다.

"지호씨, 왜 저랑 술 안 마셔줘요."
"그게 음 그러니까요. 제가 요즘 간이 안 좋아서."
"거짓말."
"안 통하네요 역시."
"어디 귀신을 속이려고 들어요. 더 추워지기 전에 옥상에서 술 한 잔 해봐야죠."
"알았어요. 그럼 오늘 저녁에 마실까요?"
"좋아요."

사실 지난 일주일은 있지도 않은 약속을 만들어 내며 저녁마다 밖으로 나가 정처 없이 서성이기만 했다. 아무 생각 없이 걸었다. 뭔가 생각하려 하면 긍정적인 생각은 전혀 나지 않았다. 소현씨 없이도 잘 살 수 있을까? 하는 걱정이 제일 먼저 앞섰다. 지금까지 그녀 없이 잘 살아왔으면서 함께한 세 달 만에 그녀 없이 못 살 걱정을 하다니. 소현씨도 내가 그러지 않기를 바랄테지만, 마음이라는게 내가 원하는대로 잘 되지 않는다. 함께 편의점에 와서도 그녀 몰래 어떻게 하면 이별을 늦출 수 있을까 하는 궁리만 한다. 결국 부질 없음을 알고 고개를 가로 저으며 좋아하는 과자를 집는다. 소주 두 병에 안주로 먹을 과자 한 봉지. 그리고 옥탑방 아래 야경. 기온은 떨어졌지만 바람이 불지 않아 그렇게 춥지는 않았다. 오랜만에 마시는 술이네. 소현씨에게 먼저 한 잔, 그리고 나도 한 잔 돌려받았다. 잔을 가볍게 부딪히고 나는 한 입에 털어 마셨지만 소현씨는 술잔을 자기 앞에 살포시 내려 놓았다. 찰랑이는 술의 표면에 밤 하늘이 반사 되었다. 살짝 패인 달이 술잔에 가득 들어찼다. 눈이 시리도록 아름다웠다.

"저는 마실 수가 없으니까요. 무덤 앞에 뿌린 술이라고 생각해 주세요. 그렇다고 잔 돌리지는 마시고요."

그녀가 가볍게 던진 농담에 나도 피식하고 웃었다. 빈 잔을 새로 채우는데 쌉쌀한 알코올향이 속에서 올라왔다. 몸이 나에게 경고 신호를 보낸다. 오늘은 천천히 마시는게 좋을 것 같다. 취해 버리면 추하고 찌질해질 것 같으니까. 숨겨야만

하는 속마음을 모조리 쏟아낼지도 모른다. 그녀 앞에서 울어버리기라도 하면 곤란하다. 그런 내 걱정을 아는지 모르는지 소현씨는 우리 아래 빛나는 불빛들을 바라보다 입을 열었다.

"예쁘다."
"그렇네요."
"지금 집으로 돌아가는 사람들도 보이고요."
"그렇네요."
"우리 집도 더 높은 곳에 있는 사람이 보기엔 하나의 불빛이겠죠?"
"그렇겠네요."
"오늘따라 왜 그래요 재미없게. 저랑 대화하기 싫어요?"

나는 술을 한 잔 더 삼켰다. 한 마디라도 아끼고 싶었다. 그런 욕심 때문에 탈이 났는지 속이 아파왔다. 가슴이 아픈 건지 배가 아픈건지 잘 모르겠다. 짧은 탄식. 그리고 다시 빈 잔을 채우며 대답했다.

"그럴리가요."
"처음으로 둘이 술도 마시는데, 평소에 못 했던 얘기도 하고 해봐요 우리."
"조금만 더."
"네?"
"조금만 더 취하고 나서 할게요."
"솔직하지 못하긴."

소현씨는 홀로 콧노래를 부르며 말했다. "저한테 물어 보고 싶은거 많을 것 같은데요." 나는 말 없이 다시 한 잔을 마셨다. 급하게 세 잔을 연달아 마시니 금방 취기가 올라왔다. 오늘만큼은 조금 추해져도 될까. 아니 조금 더 솔직해져도 될까. 취기에 용기를 얻은 본성과 자제력을 잃어가는 이성이 싸움을 벌인다. 정말 궁금했지만, 물어 볼 수 없었던 질문. 여전히 조심스러웠기에 고민하며 입 안에서 혀를 굴렸다. 어떻게 말해야 그녀가 상처를 받지 않을지. 민감한 주제인 만큼 내 고민도 길어졌다.

"소현씨가 왜 그런 선택을 해야 했는지 알고싶어요."
"흠, 그럼 제가 어떻게 살아 왔는지부터 얘기해야겠네요. 그래도 물어 봐줘서 고마워요. 아무한테도 얘기 못하고 있었는데, 드디어 해보네요."
"예민한 주제일텐데."
"괜찮아요. 어릴 때 이야기는 평범하니까. 대학시절부터 이야기해보죠. 전에 말씀 드렸듯이 저는 미술을 전공했어요. 그런데 그림을 제대로 그려본 적이 없어요."
"왜요?"
"제가 처음 서울에 올라오던 날, 부모님께서 저를 학교에 데려다 주셨어요. 저는 괜찮다고 했지만 하나 뿐인 딸의 대학 입학인데 처음은 함께하고 싶으시다고 그러셨죠. 그런데 부모님께서 집으로 가시는 길에 교통사고가 났어요. 두 분은 그렇게 돌아가셨고, 저는 어린 나이에 제 탓을 했죠. 내가 다른 대학을 갔더라면 아니면 하루 빨리 혹은 일찍 올라 갔더라면,

그러다가 원망할 대상을 돌리기 위해 학교를 탓했어요. 그림을 그리다가도 부모님 생각이 나면 손이 떨려서 그릴 수가 없었어요. 자퇴를 해야 하나 고민하던 중에 전 남자친구를 만났어요. 지금 생각해 보면 누구라도 마음을 기댈 사람이 필요했나 봐요. 조금 잘해준다고 넘어가 버렸죠."

소현씨는 한 숨을 푹 쉬며 잠시 말을 끊었다. 말을 어떻게 이어가야 할지 고민하는 듯 잠시 하늘을 올려다 봤다. 그동안 어디에도 털어 놓지 못한 감정들이 폭주기관차가 되었을 것이다. 잠시 제동을 걸어줄 필요가 있겠지. 나는 그녀 앞에 놓여 있던 술잔을 털어 버리고 새로 한 잔을 채워 주었다.

"그 사람을 의지하며 어떻게든 졸업은 했어요. 하지만 트라우마는 남아 미술과 관련된 직업을 택할 순 없었고 이런 일 저런 일을 하다가 지호씨를 만난 분실물 센터에서 일하기 시작했죠. 일자리도 있고, 애인도 있고, 남들이 보기엔 괜찮은 인생이었을테지만 공허함은 해결 되지 않았어요. 그래도 지호씨가 저를 볼 때는 항상 웃고 있었죠?"
"네. 그 미소에 반했죠 제가."

그녀는 내 칭찬에 답례하듯 밝게 웃어 주었다. 그녀가 살아 있을 때 나에게 매일 보여주었던 그 미소로. 이제와 보니 그 얼굴엔 진심이 없었다. 쓸쓸해진 마음을 더욱더 쓴 술로 씻어 내려 다시 한 잔을 더 마셨다. 어두워지는 분위기와 반대로 거리에는 불빛이 하나 둘씩 늘어나며 밤이라는 시간이 무색할 정도로 밝게 타올라 간다. 눈이 부신건지 그만 눈을 꼭 감아 버리고 싶어진다.

"그 말은 고맙네요. 그만큼 제가 연기를 잘했다는 거니까요."
"그럼 혹시 저랑 함께한 시간 동안에 밝은 모습은 진짜였나 요?"
"지금은 솔직한 시간이니까, 처음에는 연기였지만 지호씨와 함께하면서 정말로 행복했어요. 어디까지 연기였는지는 비밀로 할게요."
"알겠어요."
"하던 얘기를 계속하자면, 공허함 때문에 살아있는 이유를 모 르겠더라고요. 함께할 가족도 없고, 직장은 내가 없어지더라도 새로운 사람을 구할 것이고, 그나마 신경 쓰이는 것은 남자친 구였지만 그 사람도 어느새 저를 향한 마음이 식은 것이 느껴 졌었죠. 그래서 여러번 자살 시도를 했었어요. 처음에는 죽는 게 두려웠지만 실패할때마다 오기가 생겨 계속 시도했어요. 그 래도 실패하고 나면 아무 일 없다는 듯이 일하고 그 사람을 만나고 했었죠. 그럴수록 저는 더 지쳐 갔지만요."

이제는 술이 쓴 것인지 진실이 쓴 것인지 모르겠다. 가득찬 나의 술잔에선 달빛처럼 알 수 없는 맛이 나고 있었다. 각오는 하고 물어본거지만 생각했던 것 보다 훨씬 무거운 이야기에 가슴이 내려 앉을 것만 같았다. 그녀의 밝은 모습만 봐 온 나 로서는 짐작하기 어려운 슬픔이었다. 감히 공감한다는 얕은 위 로조차도 할 수 없었다. 먼 곳을 바라보며 이야기하는 그녀를 바라봤다. 덤덤한 표정. 아무렇지 않다는 말투가 더 아프게 느껴졌다. 이젠 정말 아무렇지 않은 걸까.

"그러던 어느 날, 그 사람이 저에게 이별을 고했어요. 다른 여자가 생겼다고 말하며 뻔뻔하게 선물도 건네더라고요, 그게 이 옷과 구두였어요. 그런데 참 웃긴건, 그 말을 들었을 때 화가 나기 보단 안도감이 먼저 들었어요. 그 남자와 헤어지면서 세상과 저를 연결하던 마지막 연결고리가 끊어진거니까요. 정말 확실하게 죽을 수 있겠다는 생각이 들어 이 옷을 입고 지하철에 몸을 던진거에요."
"그 옷을 입었던 이유가 있나요?"

소현씨는 잠깐 고민하다가 피식하고 웃었다.

"찌질한 복수죠. 죄책감을 가졌으면 좋겠다는 생각이 들어서, 자기 때문에 한 사람이 죽었다고 그렇게 무거운 마음을 가지고 살았으면 했는데, 잘 살고 있더라고요. 나만 손해본 기분이네."
"소현씨는 잘못 없어요. 그 사람이 나쁜 거에요. 마음이 힘든 사람을 꼬드겨서 사겨 놓고는 그렇게 헤어진다니 사람이라고 부르기도 싫네요."
"지호씨는 너무 착해서 욕도 제대로 못하네요. 그래도 고마워요. 밝은 이야기도 아닌데 들어줘서."

소현씨는 내게 다가와 가볍게 안아 주었다. 나는 쉽사리 그녀의 어깨에 손을 올리지 못했다. 그 마저도 이 순간엔 위선으로 느껴질까 두려웠다. 그녀가 내 귓가에 "안아주세요."라고 속삭이기 전까지 나는 멍하니 안겨 있었다. 짧은 포옹 뒤에 우리 둘은 다시 자세를 고쳐 마주 앉았다.

"제가 아니면 들어줄 사람이 없으니까요."
"역시 좋은 사람이네요. 지호씨는. 이제와서 이런 얘기하면 안되는거 알지만, 만약 제가 살아 있을 때 지호씨를 만나 봤더라면, 제가 하루만 더 버텼더라면, 그때 전철이 몇 분만 늦게 왔더라면......."
"그랬더라도 제가 소현씨에게 고백할 용기는 없었을 거에요."
"제가 만나자고 했을걸요. 지호씨가 저 좋아하는 건 알고 있었거든요."
"그랬었죠 참."
"그렇게 자주 찾아오고 올 때마다 미소를 감추질 못하는데 눈치 못 챌리가요."
"그건 잊어주세요......."

얼굴이 붉어졌다. 이미 술 때문에 붉게 달아 올라있었을테지만, 부끄러움에 체온이 더 올라가는게 느껴졌다. 그렇게까지 티가 났던건가. 그럼에도 불구하고 차마 고백할 생각조차 못한 내가 원망스러웠다. 얼굴을 보고 인사를 나누는 것만으로 만족했었다니. 지금 와서 후회해봤자 늦었다는 것은 알고 있지만, 아쉬운 건 어쩔 수 없나보다. 과거는 이미 석판에 새겨진 글귀다. 현재로서 할 수 있는 건 아쉬움을 술과 함께 삼키는 것

뿐.

"그래요. 이 이야기는 그만해요 이제. 미련이 남으면 안돼요.
저도 지호씨도."
"알겠어요."
"한 가지만 부탁해도 될까요?"
"네."
"오늘 한 이야기는 잊어 줄 수 있어요?"
"네?"
"지호씨가 저에 대해서 좋았던 기억만 가져갔으면 좋겠어요.
과한 부탁인거 알지만 부탁할게요."
"노력해 볼게요."

 미안함 가득한 눈빛으로 나를 바라보는 그녀에게 한 번 씨익
웃어 보이고 남은 소주 한 병을 열어 그대로 병째 들이켰다.
소현씨는 깜짝 놀라며 나를 붙잡았지만 나는 아랑곳하지 않고
술을 입 안에 들이 부었다. 이미 취한 상태였기에 머리가 아파
오고 속도 울렁거렸다. 내 이름을 부르는 소현씨의 목소리가
물 속에서 울리는 것 같다. 나는 쓰린 속을 붙잡고 그 자리에
쓰러졌다. 다음날 아침에 눈을 뜨자마자 화장실로 달려가 구토
를 했다. 먹은게 없어서 나오는 것도 없었지만 머리는 깨질 것
같고 다리는 자꾸 힘이 풀렸다. 어제 뭐 때문에 이렇게 술을
많이 마신거지. 기억을 떠올리려 하면 머리가 울렸다. 결국 기
억하기를 포기하고 입만 물로 헹군 뒤 다시 자리로 가 누웠더
니 소현씨가 나를 부르는 소리가 들렸다.

"속은 괜찮아요?"

"아니요……"

"술도 잘 못 마시면서 무리하더니. 이리 와요 해장국 끓여 놨으니까 먹어요 얼른."

"고마워요 소현씨."

걸어 다닐 힘도 없어 네 발로 기어 밥상 앞에 앉았다. 눈 앞이 핑핑 돌았지만 겨우 정신을 가다듬고 국물을 한 숟갈 먹었다. 몸에서 음식을 거부했지만 꾸역꾸역 밀어 넣었다. 이거라도 먹지 않으면 다시 기절할 것 같았다. 몇 숟갈 더 먹으니 겨우 속이 진정 되고 말을 똑바로 할 수 있게 되었다.

"어제 대체 무슨 일이 있었던거죠."

"진짜 기억 안나요?"

"네. 제가 술을 기절할 정도로 마시면 기억을 못해서……"

"야경이 좋아서 술이 잘 들어갔나봐요."

"그런가 보네요."

밥을 다 먹고 상을 정리하고 나니 소현씨가 종이 한 장을 내밀었다. 어느새 구깃해진 그녀의 소원 목록이었다. 처음엔 열 개였던 소원 중 여덟 개가 체크 되어 있었다. 벌써 두 개 밖에 안 남았다니. 시작할때만 해도 끝이 없을 것 같았는데, 그때는 하루라도 빨리 해결하고 싶었는데. 이럴 줄 알았으면 그렇게 급하게 하지 말 걸. 과거의 나와 흘러간 시간이 원망스러울 뿐이다.

"거의 다 왔네요. 고생했어요 지호씨."

"아직 두 개나 남은 걸요."

"긍정적인 생각이네요. 처음에는 빨리 끝내고 싶어했으면서."

"열 개면 엄청 많을 줄 알았거든요."

"많다면 많고, 적다면 적고. 그런거 아니겠어요?"

"막상 해보니까 적은거 였네요."

"제가 뭐랬어요. 아 맞다, 혹시 보름달 언제 뜨는지 검색 좀 해줄 수 있어요?"

"잠시만요. 음. 이번 주말에 뜨네요."

"금방이네요. 어제 술 마시면서 보니까 멀리 갈 것 없이 여기 옥상에서 보면 될 것 같아요."

"그래요. 그럼."


이렇다 할 일 없이 약속한 주말이 찾아왔다. 아무 일이 없었기에 시간을 붙잡을 수 없었다. 평범한 하루하루. 하지만 우리 둘 사이의 대화는 부쩍 줄어 들었다. 그녀도 나도 다가오는 이별을 준비하고 있었다. 추억이 하나 늘어나면 헤어짐이 무거워지고 미련이 길어진다. 간직해야할 추억과 잊어야할 과거를 추려야한다. 그렇게 알고 있었지만 간절히 기도했다. 날씨가 좋지 않아서 달을 볼 수 없기를, 그럴 일은 없겠지만 달이 뜨지 않기를, 그렇게 된다면 다음 보름달을 기다려야 하니까. 한 달을 더 함께 할 수 있게 되니까.


하지만 예정된 보름달이 뜬 날은 구름 한 점 없이 맑았고 눈부신 달빛에 내 마음은 오히려 허탈해졌다. 달이 원망스럽기는 처음이었다. 난간에 팔을 걸치고 서 있으니 소현씨가 옆으로 다가왔다. 달빛을 받아 새하얀 피부를 뽐내며 밤 보다 짙은 검은 드레스를 입은 그녀는 지금껏 봐온 모습 중 가장 아름다웠다. 진부한 표현이지만 눈부실 정도로 그랬다. 그녀를 바라 보고 있는 나와 반대로 그녀는 하늘을 올려다 보며 말했다.

"달이 정말 예쁘네요."
"날씨가 좋아서 그런가봐요."

 어두운 하늘 홀로 빛나는 보름달을 바라보았다. 별 하나 없는 하늘에 떠 있어 오늘따라 더욱 외로워 보인다. 소현씨의 아홉 번째 소원. 지금 와서 다시 생각해보니 그녀가 원했던 것들은 정말 사소한 것들이었다. 시간만 있다면 언제든지 즐기고 행복해할 수 있는 일상의 작은 것들. 하지만 그녀에게는 아니었다. 내가 아니라면 함께할 사람도 없었고 그 작은 행복조차 누릴 수 없었던 것이다. 처음엔 서로의 욕심을 채우기 위해 시작한 것이었겠지만, 어느순간 나에겐 진심이 되어버렸다. 그 행복을, 이 순간을, 내 사랑을 떠나 보내고싶지 않아졌다. 나는 복잡한 감정을 주체하지 못해 눈을 감고 등을 돌려 버렸다. 어린 아이가 떼 쓰는 것과 다를 바 없다는 거 알지만 입술을 깨물며 망부석처럼 버텼다. 소현씨는 당황한 목소리로 나에게 왜 그러냐며 물었지만 나는 대답을 할 수 없었다. 그녀가 내 앞에 서서 나를 달래듯 양손으로 내 얼굴을 쓰다듬었다. 나는 그 감촉에 감았던 눈을 뜨고 그녀와 눈을 마주쳤다. 소현씨가 다시 질문을 했지만 굳게 닫힌 내 입은 쉽사리 열리지 않았다.

"왜 그러는지 얘기해주세요 지호씨."

"소현씨가 떠나지 않았으면 좋겠어요."

"저도 그러고 싶지만, 어쩔 수 없는걸요."

"그럼 한 달만 더요. 지금 보름달을 같이 안 보면 다음 보름달을 기다려야 하잖아요. 그럼 한 달 더 함께 할 수 있고, 열 번째가 뭔지 몰라도 이번 소원을 이루기 난 다음에 하면 되잖아요."

"글쎄요. 지금 당장이라도 할 수 있는걸요. 저도 지호씨와 더 함께하고 싶어요. 그런데 그럴수록 떠나기 힘들어질 수 밖에 없어요."

"가지마세요 소현씨. 사랑하니까요. 제발 떠나지 말아주세요."

그녀가 미소를 지었다. 하지만 뒤이어 눈에서 눈물이 흘렀다. 나는 그 이유를 알 수 없었다. 그녀는 눈물을 닦으며 나에게 말했다.

"저도 사랑해요."

그와 동시에 소현씨의 모습이 조금씩 희미해졌다. 나는 당황하며 떨어지는 접시를 붙잡듯 급하게 그녀의 얼굴을 손으로 감쌌다. 그런데 손 끝에서 느껴지는 감촉도 점점 약해지는 것이 느껴졌다. 나는 고개를 가로 저었지만 그녀가 점점 사라져가고 있었다는 사실은 변함 없었다. 이럴리 없다. 갑자기 이러면 안된다. 나는 부정하고 부정했지만 그럴수록 그녀는 흐려져만 갔다.

"소현씨 왜 그래요. 소원 남았잖아요. 아직 가면 안 되잖아요."
"속인 것 같아서 미안하지만, 원래 제 소원은 딱 하나였어요.
지호씨에게 진심으로 사랑한다는 말 듣기. 그러기 위해선 과정
이 필요하니까 다른 소원들도 얘기한 거에요."

 이제야 이해가 됐다. 그녀는 서로에게 남을 미련을 최소화하
기 위해 나에게 '사랑'을 물었던 것이다. 나의 마음조차 제대
로 알지 못한 나는 그 순간에 사랑을 말하지 못했고 결국 마
지막의 마지막까지 오게 된 것이다. 이별을 미룬 것은 그녀가
아니라 나였구나 결국. 사랑이라는거 원래 이렇게 아픈거였
나? 내가 듣고 배운 것들과는 너무 다른데. 이별이라는 것도
이렇게나 가슴 아프게 하는 것일 줄 몰랐는데.

"그건 너무하잖아요. 이제야 소현씨를 진심으로 사랑하게 됐는
데, 그러자마자 가 버리면 어떡해요."
"저도 이 정도로 아플 줄은 몰랐어요, 저도 누군가를 진심으
로 사랑하다는 건 처음이라. 미안해요. 그런데 지호씨, 만약
이대로 우리가 더 긴 시간을 함께 한다면 이별이 더더욱 힘들
어져요."

 지금의 현실을 부정하고 싶었다. 할 수만 있다면 시간을 멈
추고 싶었다. 사라져 가는 그녀를 붙잡고 싶었다. 운명을 부정
하고 싶었다. 하지만 아무리 발버둥 쳐봐도 결국 내가 할 수
있는 건 아무것도 없었다. 절망하며 고개를 숙였다. 눈물만 난
다. 무능했던 그리고 이 순간에도 무능한 내가 싫다. 그럼에도

불구하고 무심한 차가운 바람이 불었고 달은 잔혹하게도 눈이 부셨다. 어디선가 자동차 클락션이 울리는 소리가 났다. 그 소리에 정신이 번쩍 들었지만 어떻게 해야할지 몰라 소현씨를 끌어 안았다. 하지만 그녀는 나를 밀어냈다. 가슴을 가볍게 밀렸지만 그 순간만큼은 절벽에서 떨어지는 기분이었다. 소현씨는 점점 공중으로 떠오르고 있었다. 우리의 사이가 그렇게 멀어졌다. 처음부터 알고 있었지만 돌아갈 수도 나아갈 수도 없는 사이로. 손을 뻗어 봤지만 점점 멀어져만 간다. 희미해져가며 치마 끝자락부터 흩어져 사라지는 그녀의 모습은 봄날의 끝을 알리며 흩어지는 벚꽃잎처럼 가슴 시리게 아름다웠다. 이젠 정말 끝이라는 걸 알려주며 마지막 순간을 가장 눈부시게 매듭 지어주었다.

"미안해요. 그리고 그 동안 정말 고마웠어요."

그녀의 떨리는 목소리가 멀리서 들리는 환청 같았다. 그 사이에 소현씨는 이제 상반신만 남아 있었다. 나는 주체할 수 없을 정도로 눈물을 흘리며 멀어져 가는 그녀의 손을 잡았다. 놀이공원에서 풍선을 잃어 버릴까 꽉 잡았던 것처럼. 놓치고 싶지 않아 힘을 주었지만 아무 것도 느껴지지 않았다. 소현씨는 계속해서 눈물이 흐르는 얼굴을 가로 저었다. 그리고 걱정 가득한 목소리로 말했다.

"지호씨, 제 마지막 소원이에요. 행복하게 살아주세요."

나는 고개를 끄덕였다. 그것말곤 할 수 있는게 없으니까. 그래야 그녀도, 그리고 나도 진심으로 행복할 수 있을테니까. 결국 받아들일 수 밖에 없는거구나. 나는 더 늦기 전에 눈물을 닦았다. 미련이 남아서는 안 된다. 이별이 아픈 이유는 그것 때문일테니까. 얼굴이 아프다. 눈물이 찬 바람을 맞으니 얼어버린 것 같다. 그럼에도 나는 웃는다. 소현씨화 함께하는 동안 가장 행복했던 순간들을 떠올리며. 절대 거짓이 아닌 미소를 지어 보인다. 여전히 목소리는 떨렸지만 힘을 내어 또박또박 나의 마지막 마음을 전했다.

"그럼 소현씨, 제가 소원 들어드렸으니까. 제 소원도 하나만 들어주세요. 웃어주세요. 소현씨는 웃는 표정이 제일 예뻐요."

그녀에게는 이제 눈물을 닦아낼 손도 남아있지 않았다. 그래도 밝게 미소 지어주었다. 눈을 감고 입꼬리를 잔뜩 올려 지금까지 봐 온 미소 중 가장 밝은 모습을 보여주며 더 이상 손 닿을 수 없는 곳으로 사라졌다. 그 얼굴에 더 이상 남은 미련은 없을 거라 믿었다. 모순적이게도 마지막 순간에 본 그녀가 가장 아름다웠고 내가 가장 오래 기억할 수 있게 남아주었다. 온 몸에 힘이 빠져 바닥에 주저 앉았다. 차가웠지만 일어설 수가 없었다. 고개를 돌리다 우리 집 문이 보였다. 저 문을 열고 들어가면 소현씨가 장난이었다며 맞아줄 것만 같았다. 그런 상상을 하며 떨리는 다리를 붙잡고 일어 섰다. 말도 안되는 기대라는 걸 알지만 일어나 집으로 들어갔다. 당연하지만 아무도 없었다. 다시 나 혼자 살던 집으로 돌아온 거다. 누군가 심장을 꽉 쥔 것처럼 아프다. 받아들이려 했으니 마음은 아직 그러질 못하겠단다. 처음해본 사랑인만큼, 처음해본 이별이 익숙할 리가 없었다. 책상 위에 놓여있던 소원 목록이 보였다. 체크 두 개가 부족했지만 소현씨는 소원을 모두 이뤘다. 그렇게 떠나갔다. 그거면 된거다. 내 역할은 여기 까지다. 최선을 다했으니 그걸로 되었다. 이제 다시 내 삶을 살아 가야한다. 그녀를 위해서, 그리고 나를 위해서. 스스로를 다독이며 소원 목록을 곱게 접어 서랍에 넣었다. 한동안은 이 종이를 보면 소현씨가 생각나 마음이 아플 것 같아서, 눈물 없이 그녀를 추억할 수 있게 될 때 다시 꺼낼 것이다.

겨울이 지나고 봄이 돌아왔다.

그 사이에 소현씨가 돌아왔다는 소설 같은 일은 일어나지 않았다. 기대를 안 했다면 거짓말이지만 이제는 현실을 받아들였다. 그리고 그녀의 마지막 소원대로 최선을 다해 행복하게 살아 가고 있다. 지하철을 타고 아르바이트를 가려 도착한 역에서 내릴 때 들리는 안내음. '이번 역은 열차와 승강장 사이가 넓습니다.' 발이 빠질만큼 혹은 그 틈으로 떨어질 만큼 넓지는 않지만 그럴 때마다 발 아래를 살피게 된다. 같은 역에서 내리는 사람들과 함께 플랫폼으로 건너간다. 출근길이 즐겁지는 않지만 그래도 웃으며 가려고 한다. 그게 소현씨가 나에게 알려준 삶이니까. 밖으로 나오니 꽃잎이 만개한 벚나무가 나를 맞아준다. 설레는 봄을 알리는 광경에 신이난 사람들은 그 앞에 모여 사진을 찍고 일할 때가 되었음을 아는 꿀벌들도 열심히 꽃가루를 나른다. "봄이네."라고 짧은 혼잣말을 한 뒤 가방을 뒤져 종이 한 장을 꺼낸다. 그리고 '비밀'이라고 적힌 글자 옆에 '사랑'이라는 글자를 연필로 적어 넣는다. 다시 그 종이를 곱게 접어 입에 물고 나무 아래 흙을 살짝 파내 작은 구덩이를 만들어 종이를 묻고 닿을지 알 수 없는 마지막 인사를 한다.

"봄이 왔으니, 행복할게요,"

-끝-

# 작가의 말

우선 여기까지 읽어주신 분들게 감사를 표합니다.

이 소설은 제가 중학생이었던 시절 노트에 연필로 적었던 '분실물'이라는 제목의 소설에서 시작했습니다. 그 당시에는 글을 쓰는 법도 몰랐고 책을 많이 읽었던 것도 아니었기에 설정과 스토리가 사실상 전부였습니다. 지호와 소현의 나이가 20대 후반으로 설정 된 것도 그 당시에 어린 저의 생각으로는 그 나이쯤 되면 사회에 정착하여 자신이 하고 싶은 일들을 이뤘을 나이라 생각해서 였지만, 어느새 제가 그들보다 더 어른이 되어 버렸군요. 그러다 대학생이 되고 난 뒤 집에서 우연히 그 노트를 다시 발견하고 세월이 지나 굵어진 머리로 그 때의 글을 다시 써보고 싶었습니다.

어른이 된 만큼 더 많은 경험을 했고 이 글에는 제가 실제로 했던 여행지들에서 느낀 점들도 많이 들어가 있습니다. 그래서 제목을 '이번 역은 열차와 승강장 사이가 넓습니다'로 바꾸었습니다. 서울에서 오래 살면서 매일 같이 듣던 말이라 귀에 익은 것도 있지만, 열차를 타고 내릴 때 열차와 승강장 사이의 공간이 넓다고 하더라도 크게 신경 쓰지 않고 다니지만 작중에서는 지호와 소현을 갈라 놓은 '죽음'이라는 벽이 그 좁은 공간에서 발생했다는 점에서 그리고 둘이 함께하고 있지만 생과 사라는 넘을 수 없는 벽이 있는 것처럼 좁은 공간을 두고 열차와 승강장이 나뉘는 것처럼 제목을 바꾸었습니다. 이때부터 좀 더 소설다운 표현들이 추가 되고 어느 정도 장편의 모양을 갖추게 되었지만 당시 사용하던 노트북이 고장나며 파일을 잃어 버렸습니다. 그 당시의 허탈감은 이루 말할 수 없지만 오히려 좋은 기회로 삼았습니다.

이 소설이 다시 부활하게 된 건 제가 군대에 있었을 때였습니다. 공군으로 복무하였기에 글을 쓸 시간이 많았던 중 '이번 역은 열차와 승강장 사이가 넓습니다'를 많은 사람들이 볼 수 있는 '병사 게시판'에 연재해보기로 한 것입니다. 그 전까지 다른 사람들에게 저의 글을 보여준 적이 없었던 저였기에 이는 크나큰 도전이었습니다. 기억 속에 남아 있는 내용을 토대로 시간이 날때마다 조금씩 글을 써 올리는 식으로 다시 써내려 가기 시작했습니다. 군대라는 특수성도 있었겠지만 많은 분들이 이 소설을 재밌게 읽어 주시고 댓글과 이메일로 격려해 주셨습니다. 그 중 특히 제 글을 영화로 만들어 보고 싶다고 문의 주신 분이 가장 기억에 남습니다. 출판을 결심하게 된 것에는 당시 받았던 응원들의 영향이 크다고 생각합니다.

하지만 군대에서 쓴 글은 반출이 불가능했고 결국 저는 전역

후 네 번째로 '이번 역은 열차와 승강장 사이가 넓습니다'를 써내려 가기 시작했습니다. 10년 넘게 쓴 글인 만큼 애정이 강했기에 언젠가 꼭 책으로 내보고 싶다 하는 꿈이 생겼습니다. 이렇게 좋은 기회가 닿아 10년 가져온 꿈을 이루게 되었습니다. 작가의 말을 써내려 가는 이 순간에도 많은 감정이 교차합니다.

 이 소설을 쓰면서 저 스스로도 느끼고 생각한 것들이 많습니다.

 저는 때때로 인생을 한 편의 소설로 빗대곤 합니다. "페이지를 넘기기 전까지 알 순 없지만 지나온 과거는 추억과 경험으로 쌓이고 정해진 결말을 위해서 달려 가는 것"이라고. 지호와 소현에게도 '이별'이라는 결말이 정해져 있던 만큼 이 소설을 쓰면서 많은 고민을 했습니다. 돌이킬 수 없는 생사의 강을 건넌 뒤 주어진 짧은 시간. 그 사이에 배우는 사랑과 삶의 의미. 그리고 담담하게 이별을 받아 들이고 앞으로 나아갈 수 있는 의지. 이것들을 가벼운(?) 연애 이야기 안에 녹여 내는 것이 쉽지 많은 않았습니다. 살면서 느낀 절망감은 지호에게 그리고 그 사이에서 발견한 긍정적인 순간들은 소현에게 제가 제 자신을 위로하듯 써 내려가다 보니 이어지긴 하더군요. 살아있지만 죽어 있는 듯한 지호와 죽어있지만 살아있는 듯한 소현, 두 캐릭터 간의 모순으로 저의 생각을 표현해 보고 싶었습니다.

여러모로 정말 애정이 안 갈 수가 없는 글입니다. 아마 우선적으로 이 책을 접하시는 분들은 저의 주변 지인분들이실 거고 과분하게도 누군가의 추천을 통해 접하신 분들도 있으시겠지요. 아니면 우연 속에서 인연이 닿아 제가 누군지 알지 못하지만 이 책을 읽어 주신 분들도 계실 것이라 믿습니다. 하지만 당신이 누구인지는 중요하지 않습니다. 이 책을 읽고 다양한 감상을 느끼셨을 테지만 그것도 나중에 이야기입니다. 가장 드리고 싶은 말씀은 저의 사랑하는 글을 여기까지 읽어 주신 것, 그것에 대해 깊은 감사를 표하고 싶을 뿐입니다.

마지막으로 이 소설을 쓰는데 많은 영감을 '알베르 카뮈'의 '이방인'과 '장 폴 사르트르'의 '닫힌 방'에게도 감사를 표합니다. 특히 후반부에 지호와 소현이 함께 술을 마시는 장면에 자동차 클락션 소리는 '이방인'의 마지막 장면을 오마쥬 해보았습니다. 두 책이 가지는 메시지를 제 나름의 철학으로 로맨스 소설에 녹여 낸 것이 이 작품입니다. 어린 꼬마의 끄적임이 어느날 한 권의 책이 된 것처럼 여러분의 꿈과 인생도 항상 응원하겠습니다.

2024년 1월 20일 김은우 올림

그럼에도 오늘을 살아갈 모든 지호와 소현
에게 이 소설을 바칩니다